SIMPLE SUDOKU

Frank Longo

New York

FALL RIVER PRESS

New York

An Imprint of Sterling Publishing
387 Park Avenue South
New York, NY 10016

FALL RIVER PRESS and the distinctive Fall River Press logo are registered trademarks of Barnes & Noble, Inc.

The material in this book was previously published in
Breezy Monday Sudoku, Easy Tuesday Sudoku, and *Petite Easy Sudoku.*

Book design by Ponderosa Pine Design
Cover design by Cattails Productions

ISBN 978-1-4351-4246-6

Distributed in Canada by Sterling Publishing
c/o Canadian Manda Group, 165 Dufferin Street
Toronto, Ontario, Canada M6K 3H6
Distributed in the United Kingdom by GMC Distribution Services
Castle Place, 166 High Street, Lewes, East Sussex, England BN7 1XU
Distributed in Australia by Capricorn Link (Australia) Pty. Ltd.
P.O. Box 704, Windsor, NSW 2756, Australia

For information about custom editions, special sales, and premium and corporate purchases, please contact Sterling Special Sales at 800-805-5489 or specialsales@sterlingpublishing.com.

Manufactured in the United States of America

2 4 6 8 10 9 7 5 3 1

www.sterlingpublishing.com

CONTENTS

Introduction
4

Puzzles
6

Answers
168

INTRODUCTION

To solve sudoku puzzles, all you need to know is this one simple rule:

> Fill in the boxes so that each of the nine rows, each of the nine columns, and each of the nine 3 × 3 sections contain all the numbers from 1 to 9.

And that's all there is to it! Using this simple rule, let's see how far we get on this sample puzzle below. (The letters at the top and left edges of the puzzle are for reference only; you won't see them in the regular puzzles.)

The first number that can be filled in is an obvious one: box EN is the only blank box in the center 3 × 3 section, and all the digits 1 through 9 are represented except for 5. EN must be 5.

The next box is a little trickier to discover. Consider the upper left 3 × 3 section of the puzzle. Where can a 4 go? It can't go in AK, BK, or CK because row K already has a 4 at IK. It can't go in BJ or BL because column B already has a 4 at BQ. It can't go in CJ because column C already has a 4 at CM. So it must go in AJ.

Another box in that same section that can now be filled is BJ. A 2 can't go in AK, BK, or CK due to the 2 at EK. The 2 at GL rules out a 2 at BL. And the 2 at CP means that a 2 can't go in CJ. So BJ must contain the 2. It is worth noting that this 2 couldn't

	A	B	C	D	E	F	G	H	I
J									
K					2		1	8	4
L	9		5		7		2		6
M	1		4	3	9	2		7	
N				7		6			
O		7		1	4	8	9		2
P	3		2		6		8		5
Q	8	4	9		3				
R									

	A	B	C	D	E	F	G	H	I
J	4	2							
K					2		1	8	4
L	9		5		7		2		6
M	1		4	3	9	2		7	
N				7	5	6			
O		7		1	4	8	9		2
P	3		2		6		8		5
Q	8	4	9		3				
R									

have been placed without the 4 at AJ in place. Many of the puzzles rely on this type of steppingstone process.

We now have a grid as shown below left. Let's examine column A. There are four blank boxes in column A; in which blank box must the 2 be placed? It can't be AK because of the 2 in EK (and the 2 in BJ). It can't be AO because of the 2 in IO. It can't be AR because of the 2 in CP. Thus, it must be AN that has the 2.

By the 9's in AL, EM, and CQ, box BN must be 9. Do you see how?

We can now determine the value for box IM. Looking at row M and then column I, we find all the digits 1 through 9 are represented but 8. IM must be 8.

This brief example of some of the techniques leaves us with the grid at the top right. You should now be able to use what you learned to fill in CN followed by BL, then HL followed by DL and FL. As you keep going through this puzzle, you'll find it gets easier as you fill in more. And as you keep working through the puzzles in this book, you'll find it gets easier and more fun each time. The final answer is shown in the bottom grid at right.

	A	B	C	D	E	F	G	H	I
J	4	2							
K					2		1	8	4
L	9		5		7		2		6
M	1		4	3	9	2		7	8
N	2	9		7	5	6			
O		7		1	4	8	9		2
P	3		2		6		8		5
Q	8	4	9		3				
R									

	A	B	C	D	E	F	G	H	I
J	4	2	1	6	8	3	5	9	7
K	7	3	6	5	2	9	1	8	4
L	9	8	5	4	7	1	2	3	6
M	1	5	4	3	9	2	6	7	8
N	2	9	8	7	5	6	4	1	3
O	6	7	3	1	4	8	9	5	2
P	3	1	2	9	6	7	8	4	5
Q	8	4	9	2	3	5	7	6	1
R	5	6	7	8	1	4	3	2	9

The puzzles in this book are for beginners. Only the most basic solving methods are required to complete the puzzles. Enjoy exercising your mind with these puzzles!

—Frank Longo

1

			1	6		4		9
	6		5	3				
9					4	3		2
	4						8	5
		5				6		
6	8						9	
7		6	9					3
				5	3		2	
5		9		7	1			

2

4						7	8	
5	9		1			3		
8				4			1	
			8	6		2		
6			4		7			3
		3		5	1			
	6			9				7
		4			2		5	1
	2	9						4

3

	7	4	3					
5				2			3	8
9	8		6					
	4	5		7				
	2	7				8	4	
				5		1	6	
					7		1	4
4	9			3				6
					1	3	9	

4

	3		4				2	
			7		2	9	1	
		2				8		3
				8	1	6		
8	6						4	1
		9	3	6				
6		8				1		
	4	7	8		3			
	2				6		5	

5

3	1	8						
	7		8			9		6
			7				5	1
						5	8	2
			3	6	7			
4	9	1						
5	8				2			
9		3			1		2	
						6	4	5

6

7				2		5		3
	3		7	1				
5			9			6		4
6	5							1
		2				7		
3							8	6
1		3			2			8
				8	6		3	
8		4		5				2

7

					5	8		9
			7	4				3
7	6				2		4	
3	8			9		7		
		1				6		
		6		1			2	5
	9		3				8	2
1				6	9			
4		7	1					

8

	6	3		9	8			
5							9	4
	1		5		4			
		7		8				9
1	8						4	5
2				5		8		
			9		6		1	
7	4							2
			2	4		6	8	

9

		2		7	9			1
1	3					7		
		5	8				4	
				2	8	9	6	
4								7
	6	9	3	1				
	8				4	6		
		7					5	2
3			9	6		1		

10

4		1	5				3	
		2		7			6	
	5		9				8	
9			6			8		
6				4				2
		5			8			3
	6				4		7	
	8			9		3		
	3				1	9		4

11

7	2		1					
		1	8			2		
4		3		5		1		
5	6			1				
	3		9		7		5	
				2			6	3
		2		8		6		5
		4			5	7		
					2		8	4

12

5		6			9	4		
				1		6	9	
	8		4					2
	3		9		7			
2				6				8
			2		1		7	
7					3		1	
	4	5		2				
		2	6			8		9

13

4					1	2	6	
9	8	7						
	1		9	3				
5					3	8		
2				4				1
		4	5					2
				6	9		3	
						7	9	5
	9	1	8					4

14

1		9	2					
				9			2	1
4			8	3		5	7	
			7			6		3
	3						9	
5		1			4			
	5	3		7	2			6
6	1			8				
					6	8		7

15

5			2		7			
	3	8	5					
	9			8				2
		5	3			8		1
	7			5			2	
3		9			1	5		
4				3			8	
					5	7	3	
			7		4			9

16

3				4	1			6
	8			3			4	
		4			2	7		
2			3			6		
4	3						5	1
		6			5			7
		1	9			3		
	5			6			8	
8			1	2				5

17

				6	9	2		7
9		6				4		
	7		3	2				
		5			1		2	4
	1						7	
8	3		9			5		
				9	3		8	
		2				7		9
1		3	7	5				

18

			3		7			1
	5	7				2		
	1				8			4
	2	1		8				6
6				4				2
9				1		5	7	
4			9				8	
		5				9	4	
7			1		4			

19

8	9						4	
2	4	5	9					
	6	1	7	8				
		8	3	4				
1								6
				5	6	2		
				2	5	1	7	
					3	4	2	9
	3						5	8

20

		7	9				5	
	9		7			1		4
1		6	5					
6				9			3	
		3		5		9		
	5			6				8
					5	2		9
9		5			2		6	
	3				9	7		

21

2	8							7
	4				7	6		
	9	6		4				5
				8	3	2		
6			2		1			8
		7	4	9				
4				7		8	9	
		2	8				6	
1							5	4

22

4		7				8		
		3	9		2			
	2		5	4		3		
	9		8					2
7	4						8	3
2					9		5	
		4		9	6		1	
			7		5	6		
		8				2		5

23

	2				7		6	
		6	5		4			9
8		9						1
				3			9	8
		1	6		2	5		
3	5			1				
1						9		2
2			8		9	6		
	9		4				8	

24

6				9		5		
				5	1		8	
	5				6	4		7
4	3		1					
	8	7				1	3	
					3		9	2
2		6	5				4	
	1		6	3				
		4		2				1

25

9	5	1						
		2		8	3			
				1		2	5	6
4	6		8					
2			3		9			7
					4		8	2
3	2	5		6				
			4	3		5		
						3	2	8

26

5					7	9	4	
	3		4					5
			5				1	3
						6	9	7
		1		2		3		
7	5	3						
1	9				8			
4					1		3	
	8	7	2					4

27

3			7	4			2	
		8	1		3			
				6		9	3	4
	3	4					8	
1								6
	5					2	7	
5	8	9		3				
			5		2	6		
	2			1	8			5

28

			6	5		8		
	4	5						2
	9		3		8		7	5
4			8					
		9		7		3		
					5			8
5	1		4		7		2	
2						7	6	
		7		2	3			

29

			9			2	4	
8			4				9	3
		3		7		5		
	8		5					6
9				8				2
7					4		3	
		9		4		8		
6	4				1			9
	3	1			2			

30

8					3		2	
	3	5				1		
				2	6		3	
		7			5	6		9
5			8		2			1
6		8	9			5		
	4		6	5				
		2				7	5	
	5		2					3

31

6		1	5					
8		2	4	1	9			
5		3					4	
	5	4						
	8			7			6	
						5	8	
	6					4		2
			7	3	6	8		1
					8	3		6

32

6		1	8					9
7		5	6			8		
	3			9		5		
	6			1				2
			7		2			
8				4			9	
		7		3			1	
		3			1	2		8
1					8	4		5

33

1				3				9
				8	9	1	7	
9	8				6			
	6					2	5	
		2	5		8	7		
	4	8					3	
			9				4	6
	9	3	7	6				
2				4				7

34

2	7		8					
	4	8		1				2
	1				3	4		
9				3	4			
8		2				5		9
			9	8				1
		6	3				9	
5				2		7	3	
					7		8	5

35

9	4			5				
8		3			2		4	5
			4		3	1		
	5			3		2		
7								1
		6		9			7	
		5	2		6			
4	7		5			6		9
				7			2	4

36

4			7			2		6
6			3				5	
	8	9		5				
3	4	6						
	9		6		8		3	
						6	4	5
				2		8	7	
	1				4			3
8		7			9			1

37

2			9		4			
7	1						2	
				1	8	6	5	
3	8	7						
		2		6		5		
						4	1	3
	2	4	1	3				
	7						4	9
			4		5			2

38

			5			8		3
					8		6	9
			4	7				2
	6	4		5		2		
7	9						4	8
		1		4		6	3	
9				2	5			
2	7		3					
8		6			4			

39

1	8					2		
6				5				
	9	2	7		1			
8	3				5	9		
	5			2			4	
		6	8				7	1
			9		8	4	3	
				6				2
		5					8	9

40

8	6	1			4		3	
			6	3				8
		5		1			9	
			7				1	3
1								6
4	5				2			
	7			2		8		
5				9	7			
	2		3			7	4	9

41

		2		6		9		1
5			9	2				
		7			4	6		
4	1				9			
	5						1	
			5				3	2
		5	1			2		
				3	5			7
7		4		8		1		

42

9		5		3			6	
		4			1	5		
7	2			5				
5					4			8
	3		1		5		7	
1			7					6
				1			4	2
		2	3			7		
	7			2		6		1

43

4				5			6	
	5	3	9					
6		7	3			4		
5			8				7	
	7			6			9	
	8				4			6
		6			7	3		8
					5	6	4	
	4			1				9

44

		7		9	3		1	2
	4	8		2				
			8			4		7
5	1							6
			1		8			
8							9	1
9		3			4			
				8		1	7	
1	8		3	6		2		

45

5	2					6		
		1			3		2	
9				2	7		3	
		8	2	6				
2		7				1		6
				4	1	8		
	3		1	7				9
	8		9			2		
		2					6	7

46

4		1					8	
	7		3	8				
			4	9		3	5	1
					9			4
	4	6				5	3	
9			2					
3	6	8		5	4			
				3	6		7	
	9					4		3

47

		1	7	5				9
	6		9	8				
3	9						4	
7		4	3		8			
		8				1		
			6		7	2		8
	7						8	6
				9	6		5	
4				7	2	3		

48

2		8				9	1	
	9		2		3			
			9	5				7
	4	1						2
7				6				1
9						5	8	
1				2	5			
			3		4		2	
	2	6				7		3

49

2			6	8				1
		6	5				3	
	8					6	9	
8		9		2				
6			7		8			3
				6		7		5
	1	4					7	
	6				3	5		
5				1	7			9

50

	5						7	1
		9		8				3
				5	9	8		6
	2				4	1		
9			8		5			4
		1	7				9	
7		8	2	3				
3				7		4		
6	9						8	

51

		4	7		1			
			4	2				1
8	1						6	
7						8	5	
9		6		5		4		7
	8	1						3
	2						7	6
6				3	9			
			1		6	9		

52

	2	6		1				
	5		4				1	8
		8			7			2
7		1	3					
2				8				3
					9	2		4
6			2			5		
1	7				4		8	
				7		6	2	

53

				3	4		5	
		6	9			7		
2	8							
6		7	2			5	3	
8				1				7
	3	1			5	8		4
							1	8
		8			2	6		
	7		1	6				

54

3	9		4				5	
7		5					6	
			6		1		3	7
				7		8		
		1	5		2	4		
		4		8				
1	5		9		3			
	4					3		9
	3				8		1	5

55

3				9				7
	6			3	1		4	
		9	2			1		
	4	3			6			
7	1						6	4
			1			2	8	
		8			7	4		
	2		9	1			5	
5				4				6

56

			2		4	7		
2				1				3
	1	6		3	9		4	
6							1	9
		1				6		
8	7							4
	9		1	8		4	3	
3				4				2
		8	6		3			

57

5					9		1	
	3	6		2			4	
			3	1		7	6	
2							8	6
	1						9	
3	7							4
	5	2		7	4			
	6			3		4	2	
	4		9					1

58

5				2		8		
	9		1		4			
8	7		6				1	
		3	8					9
		9		4		7		
7					2	6		
	1				9		2	8
			2		5		9	
		6		1				3

59

7	1	2		5				
	3	9	7					
4		8	2					
5						8	9	
	6		4		3		1	
	8	1						3
					1	4		7
					4	9	2	
				3		5	6	8

60

7		6			1			
8	4		7					
			9	5		7		8
	6				7	5		
1		9				4		2
		3	5				8	
6		2		9	4			
					2		6	1
			1			3		4

61

		9		4	3	2		
2	8							9
			2		8	3		
8	4			5				
	6		7		4		8	
				8			7	5
		1	6		2			
3							9	1
		6	8	1		7		

62

			2	6		7		
1				5			4	
	7	9	3				5	
		7	9				8	
4	8						7	6
	1				5	4		
	6				8	5	1	
	4			2				7
		1		7	3			

63

8	6		4					
			6	5		3		4
		3				6		2
				8	2		5	
	2	8				4	9	
	9		3	7				
3		6				5		
1		2		9	6			
					8		4	6

64

8	6		5					
		2	8	3			6	
9	1	3						
3					7			
	5	6		1		3	2	
			9					4
						9	3	7
	7			9	2	6		
					6		5	2

65

		7	6			8		4
5				9	3			
2	1	6						
	5				7		1	
6			9		2			5
	2		8				6	
						5	8	9
			3	5				1
7		5			6	4		

66

1	7	2		3				
		6		4				1
		8			9	3		
			3		6		4	
3	4						1	6
	2		4		7			
		3	8			4		
2				7		6		
				6		1	5	8

67

		7		9	6			
1		9		4				2
	2					5	7	
			1		9			8
2	6						9	5
4			5		8			
	1	2					5	
5				8		6		1
			3	5		2		

68

	4				3	7		9
	9					2	5	
5			8	2				
			2		4	1		6
				8				
3		2	6		1			
				7	6			8
	6	8					3	
7		3	5				6	

69

2		1	3	4				
				5		2		3
	5		7		2			
	7	3	9					
	1	2				8	3	
					8	6	2	
			2		4		7	
4		5		6				
				1	3	9		4

70

8	6	4	5					
			8	9				
7						6	5	8
6				5			3	
		3	6		2	9		
	9			7				5
4	1	7						6
				1	5			
					8	2	1	7

71

8			9		7			
9		2		6	1			
				5		6	8	
3	4	7						
	1	8				7	2	
						3	1	4
	7	9		8				
			4	1		9		8
			7		3			1

72

2	4	1						
6		8	7		2			
	9			5				1
		9		3	5			
1	2						6	4
			1	4		9		
7				9			2	
			3		1	7		6
						8	1	5

73

	4				1			2
			6	7			3	
3	7		9		5			1
		3						4
		5		2		3		
9						5		
1			7		9		6	5
	5			1	6			
2			3				1	

74

		5	4	7				
2				8			1	
6			2			3	4	
7		6						
	4	1	3		7	2	5	
						6		1
	9	2			8			3
	1			3				8
				2	4	7		

75

					9	1	3	
		3		5	8			6
9		5	1					
		7					5	1
	9			7			4	
2	1					7		
					5	4		9
6			7	1		2		
	8	4	9					

76

5			2				1	
	2				1			9
				7	3	6	2	
2	8				7			
		1		3		8		
			9				7	6
	1	5	3	9				
7			1				9	
	3				8			1

77

4				7	9			
	9	1			2	4		7
			4			3		
5	6		2					
			7	9	5			
					4		3	8
		9			3			
3		7	9			6	5	
			6	4				3

78

8				1	6		7	
	6			7				8
1		2	8					
	8					6		9
		4	3		9	5		
3		6					2	
					5	8		2
6				9			1	
	4		2	3				5

79

				2	5		1	
	9	7	3				2	
					1	6		3
7				4				1
2		4				8		6
9				7				2
6		5	8					
	7				4	9	6	
	2		5	6				

80

9			3				5	
1		5			8			
			4	6			9	1
2	5	6						
		8		1		6		
						2	8	4
7	2			8	3			
			5			8		9
	8				2			3

81

	2			8		6		
1	3		4	2				
		5	1					9
9					6		5	
2		8				9		3
	6		2					1
6					5	8		
				7	2		3	6
		1		4			9	

82

8				1	6	4		
	6				2		7	
5		2	7					
		8		6				3
4			9		3			2
1				4		7		
					5	3		1
	8		3				5	
		5	6	9				7

83

5		1					9	
	2				8	5	7	
9					4			
	1	5		7	6			4
	3						1	
4			5	2		7	8	
			6					7
	8	9	2				3	
	5					2		9

84

6			3			7		8
		4		7				1
7	9			1				
	7		4				5	
		2	1		5	4		
	1				7		2	
				4			9	3
8				6		2		
2		7			8			5

85

9			1					6
1	7	8			2	4		
	6	4			7			
				5	9		2	
		7				1		
	9		7	3				
			9			2	6	
		2	5			7	4	9
6					8			1

86

		8	3		6			
				9		6		
5	2		7	4				9
	9					5		
7	8	1				2	4	6
		4					8	
4				5	3		7	1
		9		1				
			8		4	3		

87

3			4				6	
6				1				8
	7			6		1	4	
	8	9	1					
	6	3				8	5	
					2	9	7	
	3	6		7			1	
9				8				5
	5				4			3

88

		2		7			5	
8		7	2					
1	5					9		
3		9	1				4	
7			9		3			6
	6				4	1		3
		8					3	7
					9	4		1
	1			3		8		

89

8	3		5					4
	4				2			7
	6			7		8		
		1	4	5				
4		3				7		5
				2	3	6		
		4		6			9	
5			3				7	
9					1		3	2

90

9		8				7		
			7	9	1			
	7	4				3		5
	1	5			4			3
	3						1	
8			3			5	7	
3		6				8	5	
			8	2	6			
		2				1		6

91

		8			9			
	1		4		7			
9	5					4	3	1
			1	7				6
8								2
4				6	3			
3	8	2					6	4
			5		6		8	
			2			1		

92

			5			6	9	3
9				6			4	
3	4				1			
	2	7			5			
			7	9	4			
			6			5	1	
			1				7	5
	3			2				4
7	1	8			6			

93

						6	1	
			9					5
	3	2		8			4	
1		6	2			4	3	9
			3		6			
7	9	3			5	2		8
	2			4		7	8	
9					2			
	8	4						

94

	9				4	2		
				1	3			9
3				9	6	1		7
5							4	
	2	3				6	1	
	8							2
7		1	4	5				8
4			3	6				
		2	9				6	

95

		8					9	4
4				2			8	
1		6			4			
2				7	6			8
	8	4				7	1	
3			9	4				5
			2			4		7
	3			6				2
7	4					9		

96

8	5						2	4
	7	9	5					
3			7	1				
	6		3			9	7	
		8				4		
	2	4			7		6	
				6	9			7
					1	6	4	
2	9						8	1

97

9	6							
	1		3	5	6			7
				1		3		
1		5		9	7			
	7	8				4	5	
			2	4		7		1
		6		2				
3			5	6	4		1	
							9	4

98

			7	4	9			3
	9	7		5		4		
6	4							
					7	8		1
			4	1	2			
2		6	8					
							3	4
		3		2		6	7	
1			9	6	3			

99

	4		8			6		2
			5	2				4
6			9		7			
9	6							1
	1	4				7	9	
3							6	5
			7		8			6
4				3	5			
7		3			1		5	

100

	5		7	4		9		
6					9			
4			2	6				5
7	6		3			5		
	8						7	
		9			5		6	8
8				5	4			7
			6					4
		1		2	7		9	

101

	3		6					8
	8			2				
6	2		7				3	
8	9					6		2
		2		5		8		
1		6					7	5
	5				2		4	7
				3			6	
2					9		8	

102

			3		1	4		9
8		3						2
	2			6	5			
				8		1		4
	4	5				8	6	
3		1		7				
			7	4			9	
9						5		6
1		4	9		2			

103

4	6			3		1		
		8					3	4
9					4	8		
1				7	9			
	9		3		8		6	
			5	4				1
		7	9					5
8	2					7		
		4		2			8	6

104

	7			4				
	4	9	6				3	8
	3		8					7
	8		9		5			6
		7				9		
9			7		4		1	
5					6		8	
7	9				1	2	5	
				5			4	

105

4			2					
	2	5	6		9	4		
6							8	
				1		5	2	
	5	4	9		6	8	7	
	9	8		2				
	6							4
		7	1		8	3	9	
					3			8

106

1						8	2	
		7	5				9	
		8		1				6
			6		7	1	3	
		3		2		7		
	9	4	8		1			
2				9		5		
	8				2	9		
	3	1						4

107

	5	8						3
	1		4					
		9		1				2
5	9		8			7		
		2		7		9		
		4			2		5	8
3				9		8		
					8		4	
8						6	3	

108

	9							4
2		5		8			3	
7	1	3	2					
		8	1	7	9			
		9				4		
			5	4	3	1		
					1	7	6	2
	7			2		5		3
3							1	

109

				2			1	
		4			9	3		5
		9	5	1	7			8
						7	6	4
	4						5	
1	5	3						
4			2	3	6	5		
2		6	9			4		
	3			4				

110

		2	8			1		
				1	3	6		
7					2		4	
6	3				9			
	5	1	6		4	7	3	
			5				6	1
	2		3					4
		5	7	4				
		7			1	8		

111

			6		8	4	3	
			3			9		1
					4		8	7
		3		8		2	6	
8								3
	6	9		4		8		
9	8		4					
1		6			2			
	7	5	1		6			

112

		7		9				2
	3	4	5					
			8				7	5
7		5			9			
	9		6		7		1	
			3			6		7
9	4				6			
					5	1	4	
1				8		2		

113

		7		3				
5			7				3	2
					6	4	1	
	1				4	2	7	
				8				
	4	3	2				8	
	2	4	6					
8	3				7			1
				1		8		

114

	6		9	8			3	5
4		1						9
	9		4					
1		6				8		
			3	7	6			
		2				9		3
					2		8	
3						1		6
8	7			6	9		5	

115

7			6			3	9	
		1	5		8			
8						7	1	
	1		7	6				
		8	3		4	9		
				8	5		4	
	8	6						1
			1		6	2		
	3	2			9			6

116

				3		5		8
8	3	5						
7			5				4	
		8	6		4	3	5	
			3		2			
	2	3	1		7	6		
	5				1			6
						2	7	1
9		1		7				

117

5			4	3				
	9				2	4		1
		1					3	8
					7	5		4
	5						8	
1		7	2					
7	1					6		
4		3	7				2	
				4	6			5

118

	1	9		2			7	3
		7	9	4				
							5	1
			5			2	3	4
	7						6	
4	9	2			6			
9	4							
				1	4	6		
2	3			7		5	4	

119

			9	1				7
3		6		5				9
	9	2				3		
	2	5				9		
9								6
		3				4	2	
		1				6	5	
7				8		1		4
6				4	5			

120

	8				3		6	9
		4			9	1		5
				4	5			2
	1				6			
6		3				2		8
			4				5	
7			2	5				
5		6	1			7		
1	2		3				8	

121

			8					4
	7			9	2	6		
	3		6			7		9
			2		9	8	3	
2								5
	4	8	5		6			
6		9			7		4	
		4	1	8			6	
1					4			

122

			6			9	4	
		6	7					3
2	1			5				
	9		8					
	8	3	1		7	4	9	
					9		3	
				6			1	7
4					3	8		
	6	7			1			

123

9	3	5		6				
		7	1	9				
	6							3
	8			1			2	
7			9		6			4
	5			7			9	
4							7	
				3	1	2		
				2		8	4	5

124

6						5	1	7
		7	4					
	2				7		3	
5			6	9				
7		1		4		2		6
				2	5			9
	1		3				9	
					8	4		
9	8	3						1

125

	9	3			5	2		
			3		2		9	
					9	4		3
				3			6	4
3	6						1	2
8	4			2				
6		9	2					
	7		9		3			
		5	7			1	8	

126

6					7	5		
	4		1	5			7	
		1	4	3				
					3	2		9
8	2						4	3
7		3	8					
				6	4	9		
	8			9	1		3	
		9	7					1

127

		3			9		1	
		4	2		1	5	3	
5	9							
9				7			4	
3	6						9	7
	4			6				3
							7	8
	8	5	1		7	9		
	3		4			1		

128

	5				6			8
	8			5		2		
9	4		3					
		8	4					
4		1		2		6		5
					5	4		
					1		4	6
		4		8			5	
6			5				3	

129

		8		5	6			9
	7					2	3	
4			7	1	2			
	4	7	9					
2								6
					5	4	7	
			5	2	1			8
	1	2					9	
8			4	3		1		

130

							9	
		4		2	9	3		
	8	2			5		7	
7		8	2			6	5	
4								3
	2	6			4	1		7
	4		1			2	3	
		5	6	8		7		
	6							

131

5		2			4			
1			2				4	6
	7			5				1
8	6					7	2	
		3				9		
	9	5					6	3
9				7			3	
6	2				8			9
			1			6		8

132

8			6					5
4	7						8	2
			9	8	2			
6			8					
		2	5		4	9		
					6			1
			7	2	1			
5	8						2	4
2					8			6

133

			8	7	3			
7	5		2					
8		9				4		
	1						4	
2	4	7				1	6	9
	3						5	
		5				7		6
					4		2	8
			9	1	7			

134

9			6					
		6		3			4	8
		2	4	8				
	7			9	6	8		1
	6						7	
8		3	7	2			9	
				6	5	2		
6	2			4		3		
					1			4

135

	4	7	1					6
		6			5			4
		3				1		2
3			8	4				
4	8						6	5
				2	3			1
9		1				2		
5			7			6		
6					4	9	5	

136

		7				9		
	2				8		4	7
6	5			4				
			1	7			9	
7			5		4			8
	1			8	3			
				6			2	4
8	6		9				7	
		3				8		

137

2			5					
3	9							
	8	1	3	2	9			
	6	3				9		
1	5		6		8		4	7
		7				8	5	
			9	7	6	1	8	
							7	9
					2			4

138

9				4		7		
7	8				1	2		
	2		3				9	
	5		8		9	6		
2								3
		8	2		6		5	
	1				4		8	
		3	1				2	7
		5		2				4

139

	8					3		2
	4	2		5				9
5					6	4		
4			6	2				
	9		1		4		7	
				7	9			1
		9	5					4
8				3		9	1	
2		7					3	

140

		3					8	6
				8	6		7	2
					4	3	9	
5	3					6		
			5	4	3			
		4					3	5
	9	1	4					
6	7		9	5				
4	5					7		

141

3			9	5		1		
			3	2		9	6	
7	2					8		
9	5			6				
		7				2		
				7			4	9
		5					2	7
	7	6		8	2			
		3		1	4			5

142

	5		9			4		
9			1	7		2		
3						1		6
	8			2				9
			4		9			
4				5			1	
6		2						4
		4		1	7			2
		5			3		6	

143

				2		4	1	
					5		9	
6	3	8						
	8	1	2			9		4
4			1		9			3
9		5			4	2	7	
						8	5	7
	5		4					
	2	6		7				

144

			1	2		3		
1					8		4	
3		8			6			
		7	3			9		
	8	3		5		7	1	
		4			9	2		
			6			4		2
	4		7					1
		2		1	5			

145

	1				2	9	7	6
			9			8	2	
	7			1				
					1	2	8	9
		2				5		
6	9	3	5					
				6			4	
	6	4			5			
7	5	1	4				9	

146

	5	9	2					
8	3			5				
		1	3			7	5	
9			6	1				8
	1						9	
5				2	3			6
	8	5			7	3		
				3			4	5
					5	6	8	

147

	1			7				
6					3		9	5
8	3		2	1		7		
						4		3
		1		9		2		
3		2						
		6		5	9		2	4
7	4		1					8
				6			7	

148

	5		7			2	3	1
7		1		8				
	6			5		7		
			5			8		3
			6		3			
1		3			4			
		7		3			5	
				4		6		9
5	2	9			7		8	

149

			2		4		8	9
8					6	5		
6		1	3					
	8			3				6
5		6				3		7
7				6			2	
					3	7		8
		5	6					4
9	3		5		7			

150

5					2		7	9
		6			3			8
	2	8					4	3
				5		4		
			9	3	1			
		5		6				
2	8					9	3	
9			6			1		
4	6		3					5

151

					9	2	7	4
		7		1	4			5
9						6		
					1	3	2	
	1			5			9	
	3	9	4					
		4						2
2			8	6		5		
5	8	3	2					

152

	1			2			9	
			9		1	2		
9		7						6
7						4		3
8			5		3			9
5		4						1
3						1		5
		5	7		6			
	7			1			8	

153

	1		4					7
	3			1	5		2	
		4	2			3	9	
6				9				
	8	1				4	3	
				5				2
	4	8			9	5		
	5		1	7			4	
1					3		8	

154

	8	4		7			3	
		1						9
	6	7			9	1		
3		9			6			
6								1
			1			9		4
		2	7			8	9	
8						7		
	7			3		2	1	

155

	9				1			7
7	2			6		1		
6		4	2			5		
2	7			8				
			9		4			
				5			1	2
		8			7	6		5
		7		1			3	8
4			5				9	

156

	9	8	2		5			
			6				4	3
6				3				
		6				2	1	
5		2	9		4	6		7
	4	7				8		
				6				9
2	7				3			
			4		9	1	5	

157

4	3				6	5		2
					5		8	3
	6		3					
		6		2	4			8
		4				2		
7			5	9		4		
					1		7	
1	8		4					
3		2	6				5	9

158

	1			4				8
						1	7	
		5		1	8	3		9
	3		8					7
		8	9		2	4		
4					1		2	
8		4	1	7		6		
	5	1						
6				2			8	

159

7				9		4		
8					7			
1		5	2				7	
			1	6			2	
		8		5		9		
	4			7	8			
	8				4	7		9
			6					3
		3		1				5

160

		5	8		3			7
	4		1		7			
	3			6			2	
3	8							1
		2		9		4		
6							9	2
	9			1			8	
			2		4		6	
8			7		9	1		

161

	7			4			8	
				7		3		2
9		4			1			
5	4				2			
		3	7	8	4	5		
			3				6	8
			1			9		7
7		1		3				
	8			5			1	

162

			8	4				6
5							2	8
8		7			6		5	
	5	1						
		6	3		7	2		
						9	1	
	8		4			5		9
7	2							3
4				5	3			

163

	2			6				7
	3			5	2		1	
9		1			8			
2	9	8						
		6	9		1	7		
						2	9	5
			2			6		1
	5		8	1			2	
7				9			5	

164

8		5			1			
	1	2	8	6				
7		9	5					
2	7			8				
	5		4		3		8	
				5			6	4
					5	7		9
				9	8	5	4	
			6			3		8

165

		5		1		9		
6		9	7		3			
3	2					7		
	1				6			2
			4	5	7			
7			3				9	
		6					2	9
			8		2	1		5
		8		3		6		

166

	3		7		5			
				3	6			9
9	5					2		
				1		7		6
1	9	8				4	2	5
6		4		8				
		5					4	1
4			8	5				
			4		1		5	

167

4		2					3	
1	5					2		
				5				9
				6	4		5	
9		5	3		8	4		1
	4		9	2				
2				8				
		8					2	3
	3					1		5

168

	5		6			7		
		6	4			5		3
8	4				3	6		
				2	4			
	7	3				4	5	
			1	3				
		4	9				1	5
7		2			1	8		
		9			8		4	

169

5					9			3
4			7		1			
	9			4		7		
		7			6			2
	3	9				1	8	
8			2			9		
		2		6			3	
			4		7			1
6			3					4

170

		9	8				4	
		4			6			3
			4			8		9
				1	3			6
	4			8			5	
6			9	5				
3		7			2			
8			5			3		
	1				8	9		

171

	8	1						3
					7			9
6		5		3		2		1
1							7	
	9		5		8		3	
	6							2
5		9		7		6		4
2			6					
7						9	2	

172

	6	2		9	8			
4						5	3	
1		7			3			
			4					3
6	1			8			7	2
7					2			
			2			3		4
	4	1						9
			9	5		7	2	

173

2	1							9
		9					4	3
				5	9	6		
				8	2		3	6
4		7				1		8
6	3		9	1				
		5	3	2				
1	7					9		
8							5	1

174

	1			2	4		3	
5		8	9					
		9				8	1	
2								4
1			3	5	7			8
8								3
	3	6				2		
					3	9		1
	5		4	8			6	

175

		5			3			1
			4	7			6	
2	7					4		
4	6		9			5		
	1			5			3	
		2			8		4	7
		8					9	3
	9			2	6			
7			3			8		

176

		5	3			4	7	
7								2
	6		7	1				
					5		8	
		1	6	9	8	5		
	7		2					
				6	7		2	
4								5
	8	3			1	7		

177

6			5	9			1	
2							6	8
		9			2			4
		4		2	8			
	2	3				8	5	
			1	3		4		
3			4			1		
4	9							6
	5			1	6			2

178

		4	2				6	
				9	3		5	
		9			7		1	2
6					8			
	7			1			4	
			6					9
5	4		7			3		
	3		9	8				
	2				4	8		

179

5	7				6			
		8		4			9	
				7		8		6
		9			3		8	1
		4	7		8	9		
3	8		4			7		
8		3		2				
	2			3		6		
			6				2	9

180

					4	9		
	9	5		1		4		
	8		9			1	7	
						5	1	4
5								9
9	6	4						
	5	9			2		6	
		1		7		3	9	
		2	8					

181

2	8					9	1	
		5					8	
4					2			5
		8			9			
	3	7	2		1	8	6	
			6			2		
9			4					8
	4					3		
	6	2					9	7

182

	5			7				1
		7	6	2				
			9			5	4	
8			3				5	
9		5				6		8
	1				6			3
	9	8			3			
				8	2	3		
5				6			8	

183

3		7	2					
8				3			4	5
		2		4		8		
7	6		1		3			
			4		5		8	1
		3		2		1		
1	2			7				9
					9	4		3

184

					6	8		4
5	1	7			8	6		
8								2
1			8		2			
	8			9			4	
			6		4			1
2								3
		8	9			1	6	7
7		3	4					

185

7	1	5						
	4		5	7	2			
9			4					
	9	1			3	5		8
8		3	6			4	9	
					6			9
			1	2	9		6	
						7	1	3

186

5			6		4			7
6			2	5			9	
	9				7			
							3	2
7	2	5				8	6	1
3	6							
			7				2	
	3			1	6			4
1			4		3			6

187

					2	1		
				7		3		5
	2		3			4		9
				1	9	7		
5		1				6		8
		7	4	8				
9		8			3		7	
4		5		6				
		2	5					

188

				7	2			1
		1					9	
		4		1				2
		2			7		5	6
	1	6				8	7	
7	5		9			3		
2				9		6		
	4					9		
6			4	8				

189

			1	9	7			
	9	8				2		4
						9		
		7		4	2		6	9
			6		1			
2	6		7	5		8		
		4						
8		6				7	9	
			5	8	3			

190

7		8						
9			2					
		6	1	5			4	
		3	6			5		
4				2				7
		9			4	6		
	5			4	3	2		
					7			3
						1		5

191

		8			9			
2						5	6	7
	1			4	7			
4	9					8	3	2
8	5	2					7	4
			9	3			2	
1	8	7						9
			1			6		

192

	9		1	7				4
		1		5		7		3
		7	9					
4						9	5	7
				6				
7	1	9						8
					8	5		
5		4		9		2		
1				2	5		3	

193

3						7		1
				6	8	3		
	7	5		3				
		3			9		4	
			5	4	2			
	5		8			1		
				9		8	3	
		9	4	8				
7		8						6

194

				1			4	
5						1	3	
9			7	8				5
6				9	5			
1								9
			3	2				6
3				6	2			4
	9	7						1
	4			3				

195

					4	1		
			6				9	
5		3		2			6	7
1				7		9	2	
2	8						3	6
	3	9		6				1
3	1			4		7		2
	6				1			
		4	7					

196

		5						8
7		9	3					6
			9				3	
			8	4		7		
		1	7		9	4		
		7		3	2			
	4				1			
2					6	3		7
9						1		

197

	6					3		4
	9	8	2				1	
2					6	8		
	2	6			9			7
5			1			6	8	
		5	7					8
	3				4	1	6	
4		2					3	

198

		6		1	7			
	3	5						
9					6			1
5	4		2	7				
8	9						2	5
				5	8		7	9
3			9					4
						8	3	
			7	6		1		

199

5	7							
8	4			7			3	
		9	5	2	6			
			3					
7	9		4		2		6	5
					1			
			7	6	4	1		
	3			1			7	9
							2	6

200

1		3	7			9	5	
4			3		8			
								7
	4					5	8	
				1				
	1	8					3	
9								
			1		4			5
	6	4			7	2		9

201

					2	5	4	7
			9	1			3	8
								9
	1		3				2	
	5	4				3	1	
	7				4		8	
1								
6	3			8	9			
7	8	9	2					

202

			7	4			2	3
	5		2			1		4
2					6	8		
4		7			2		8	
	9		6			7		2
		6	4					5
5		2			1		6	
9	3			6	7			

203

4	9		3	6				
	5		9		7		4	
		2						9
	3				4			
1	6		8		5		9	3
			6				2	
3						8		
	4		7		1		3	
				4	3		7	1

204

	6	2						
7						2		1
					7			4
	1			2			6	5
		5	9		3	1		
4	3			8			9	
3			8					
1		8						3
						9	8	

205

			4	9				7
	5		7			6	4	
3						1		
		4		2				
8								3
				7		2		
		9						1
	1	3			4		2	
7				6	8			

206

9	2					4		8
1					9			
		8			2	1	3	
		9			7			5
	6		8		3		9	
2			9			3		
	7	2	1			8		
			7					1
8		4					7	3

207

	1	6						7
5				4	7		9	
			8			2		5
		1		5		4		3
6		9		3		7		
9		2			1			
	6		3	2				9
4						8	1	

208

2		3		5				
	7	5		8		6		
		1					3	9
1			6					
	2			9			6	
					8			1
8	6					3		
		7		4		1	5	
				6		8		2

209

	5	1	3					
8	3							
		4						7
	6		1	7				3
	2	3		8		7	5	
5				3	2		6	
1						5		
							2	6
					8	4	3	

210

	9							5
			9	3		6		
6	1	8		5			7	
		2		6				
			2		1			
				9		1		
	8			1		7	3	9
		9		2	5			
3							4	

211

		9			1			8
	6			8				1
		7			3		5	
		1	2	6				
4								2
				5	8	7		
	5		7			6		
9				1			4	
1			3			2		

212

	9			6		3		
5				1		7		
						9	2	4
2	3				1			
	6		2		7		5	
			3				4	2
6	5	3						
		4		2				9
		8		3			6	

213

9		2	6					
					4		6	1
		7			3			
			3	8		4		
2		5				8		9
		8		9	6			
			8			1		
7	8		4					
					1	2		4

214

	5		6			2		
				2	7			
					8	4	9	
	8	3						
9	4			3			2	5
						6	1	
	7	6	9					
			5	6				
		2			1		4	

215

					8	6		7
3	6		4					
			9		2		8	
		4	3			5		
	1	7				8	3	
		3			7	9		
	8		7		3			
					4		2	3
7		6	5					

216

		9		5				8
	7			8				
6	1		4		2		9	
4						2		
	5	2				1	6	
		1						3
	4		3		5		1	6
				6			4	
8				2		5		

217

7					1	8	9	
		8		9	3			
		5					7	
	2							5
3		6		8		7		4
4							8	
	9					5		
			1	6		9		
	4	7	9					1

218

6					2			
		8	6	1		4		
	4	5		8		1		
3	1					2		5
5		9					3	4
		2		9		6	1	
		7		2	6	8		
			8					7

219

	8	7				1		
	4						7	
			1	2		8	3	4
9				5	8		2	
3								1
	7		6	3				9
4	1	8		6	3			
	2						1	
		9				2	6	

220

							6	1
	8	9	1		7			
7				5	6	8		
		5	3		8		2	
		7				4		
	2		5		4	1		
		4	8	3				6
			7		1	2	8	
8	1							

221

4				5	8			
8					6	9	1	
2	1							
		8	6	9		3		
			8	7	5			
		7		1	2	6		
							6	9
	9	6	7					8
			2	6				3

222

		4	3					
		9	4				3	
7		5	9		6			
	2	3		4		9		
9								1
		8		6		2	4	
			6		2	8		7
	7				5	3		
					4	5		

223

		5			6	2	8	
4	1			3		6		
			8	9				
		7						4
1		2				9		6
6						1		
				4	5			
		3		6			1	8
	4	1	2			5		

224

			8		3		4	7
8		3	7					
	7							6
6	2			8		5		
5				3				9
		9		5			7	4
4							1	
					5	9		3
9	3		1		6			

225

				4	1	9		
	1						2	
6		9	2			4		7
8				2		1		
	3						9	
		5		8				6
4		1			9	5		2
	2						8	
		6	8	7				

226

			7	4		6	8	2
			1					4
	2						9	7
3							6	
		5	8		7	4		
	7							9
7	8						3	
1					8			
2	5	3		9	6			

227

			6	9				4
6					4	9	2	
						8		3
7	8			2				5
5	6						9	8
4				5			1	2
8		3						
	2	7	4					6
9				7	3			

228

	5	7				9		
3	6	4	1	9				
		2		5			4	
				6	5			
1								2
			9	3				
	8			1		7		
				8	7	6	3	9
		5				8	2	

229

							9	
	4	9		8	5			
6	8		3				4	
		8		3				5
		2	9		6	7		
5				1		3		
	9				8		5	3
			6	4		9	8	
	2							

230

	6	2			7	1		
		4			8			
1	9	8			5			
2								
3	4			6			8	5
								6
			4			6	1	3
			7			8		
		9	1			2	7	

231

3					1			
9			5	3		2		6
	4	5	6	2				
		7			6			
		3				5		
			9			1		
				4	3	6	1	
8		1		5	9			3
			1					2

232

7	1		9	6			3	
		6						
3			1	4				5
		4	2					
1	5			7			2	6
					1	3		
4				3	5			1
						4		
	7			8	2		5	3

233

	3		9				5	2
7				1	2		4	
					5			
	7	4	5		3		1	
			2		8			
	5		1		4	2	3	
			4					
	6		7	2				1
8	9				1		2	

234

6		8	4					
	9							
4	1					2	5	
2				7			4	
1	5		8		4		2	3
	7			2				9
	2	6					3	5
							7	
					6	8		2

235

3				4			2	9
	6				8		1	4
8				1				
7						9		
	1			9			6	
		5						7
				7				6
4	9		2				3	
6	8			3				1

236

			4	2	8			
		3						
	6	4		1				7
1	9		7			4		
3				8				9
		6			4		1	2
6				3		2	7	
						5		
			9	6	2			

237

2				8				1
			2	7			4	6
1	8		4				2	5
	5			6	7			
			5	2			8	
8	1				3		6	2
7	4			9	6			
3				4				8

238

		9			4		7	
1				3	8			
4							9	5
						6		7
			5		7			
6		3						
3	2							9
			8	7				6
	8		4			2		

239

			7			1		2
		5			6		9	
		9	5				4	8
						3	6	5
				1				
4	5	6						
6	4				7	9		
	9		1			2		
3		2			9			

240

			6	8			7	
5								8
		8			9	1	6	
9		3			8			6
		6				4		
4			5			3		2
	3	2	8			5		
7								3
	4			9	5			

241

8		9			3			1
	4				9		7	
								6
			2	8		4		7
		8	3		7	2		
7		4		5	1			
4								
	7		6				9	
9			5			6		4

242

3					8	4		
2					1			
	1		7	2				
		5	6			9		
4		2		9		7		3
		7			3	1		
				1	7		4	
			8					7
		6	9					8

243

	2							
				2	3		1	6
			6	8	1			2
6	8							
3	5	4				9	2	7
							6	5
2			1	7	9			
4	7		3	6				
							5	

244

			5			4	2	9
5		1						
	4						5	8
1					7	8		
	5	4	3		8	7	6	
		7	4					1
7	6						1	
						6		3
4	8	3			5			

245

9				3			5	
8	5			4				
	1	7						
4			8			3		
		6	9		2	8		
		8			4			5
						7	1	
				5			4	6
	9			8				3

246

3			7				4	
5	2	7		3				
				6		3		8
						8	2	
8		5				1		4
	3	4						
1		9		7				
				9		5	8	3
	8				6			7

247

	5				8		4	
3						6		
	8				4	2		9
7			6	3				
		9				8		
				9	1			5
2		7	5				9	
		6						8
	3		9				6	

248

	3				7		9	6
	7		6	5			4	
8	6				9	5		
			3					4
			1		5			
6					8			
		7	5				6	8
	1			8	3		7	
3	4		9				1	

249

9		4	5		6			
				2	9			
		5					1	2
	6			7			5	
	5		2		1		3	
	3			4			2	
2	8					4		
			3	8				
			9		2	8		1

250

		1			9			2
2	6			8	7		5	
				5	6	9		
8	3	2						
	9						1	
						8	2	5
		4	5	6				
	2		9	4			6	7
9			3			2		

251

7			1			9		2
8		5	6				7	
		9		3	2			
	5						9	
				1				
	4						3	
			8	9		6		
	1				7	3		5
4		2			5			9

252

9	3	4						
8			2			3		
6				9				
4					6		1	
1	2		3	5	8		4	9
	9		4					5
				8				4
		3			4			8
						7	2	1

253

9		5				8		
	3	8		2		7		
				7	1			
	9				2			4
6								7
5			1				8	
			3	5				
		3		9		6	2	
		6				5		3

254

					6	2		7
	1				9			
		7					9	3
					1	9	2	
	3	9				8	1	
	4	8	6					
8	7					6		
			4				5	
6		5	2					

255

				4		8		
	8					6	7	9
			6	7		1		
	6				9		3	5
1	3		4				9	
		1		6	2			
7	2	6					1	
		3		8				

256

					1			8
4	5					3		9
		9	2		3			
9	4	5						
		6	3	7	5	9		
						5	6	2
			4		2	6		
7		3					4	5
1			6					

257

		7		1	4			2
		8			2	5		3
				3			9	1
				9		1		
			1		6			
		4		8				
3	7			4				
2		1	6			3		
9			3	5		8		

258

1				9			5	
		9	1		3		8	
					5	7		1
			6			1		
		1		7		5		
		7			9			
7		4	9					
	9		5		7	3		
	6			4				7

259

2			5	9	6			
5				2		6		1
	1		2	3		9		5
	5						2	
3		4		6	5		8	
6		8		7				9
			1	8	9			4

260

8				1			7	2
				6	5	8		
3		4		8				6
			4				5	
	6			7			2	
	9				6			
1				5		7		4
		8	7	3				
5	2			4				8

261

1	8		9			6		4
							3	
4			3			9		
			5	3				7
3		4		6		5		8
6				4	7			
		7			3			2
	6							
9		1			2		8	6

262

	1			7				3
3							8	
	7	4			8			
		1						9
5	9		6		2		4	7
8						5		
			2			3	6	
	2							1
7				9			2	

263

1		2		9		5		4
			6		2			
	5				3		9	
			8			9		7
		3				8		
2		6			1			
	3		5				8	
			2		7			
8		4		6		7		5

264

				1	8			5
8	9		7					4
	3	1			9			
	8	5	9			2		
				6				
		2			3	5	4	
			2			6	3	
4					1		7	2
1			8	7				

265

				2		8		
				9			1	7
5	9				8			
				7	6		8	5
		3	5		4	1		
1	5		2	3				
			4				2	6
6	4			1				
		2		6				

266

				6	1	9		
		7					2	
1	5					7		6
			4		7	5	9	
	4			5			8	
	9	8	6		2			
2		9					4	8
	1					2		
		5	2	1				

267

			7			2	1	8
	2	7					4	
		3	5		1			
						8		1
8				4				6
6		2						
			1		9	5		
	7					6	8	
9	4	5			3			

268

					2			
9	6		7		3		2	
2						8		6
	8	3	9	4				
		9				6		
				8	6	5	4	
7		1						5
	4		5		1		8	2
			2					

269

		7						
4		2	1			8		5
		5	9		8		3	
9					7		2	
8				9				1
	7		3					8
	6		7		1	2		
2		1			9	5		6
						1		

270

	1			8	5			3
8								
3	7	9	1					5
	2	3		1			8	
	9			7		1	4	
7					8	4	3	6
								8
4			3	5			2	

271

		3			6		8	
		9	8			6		
		6	1					3
		2		1			4	
	7		6		4		5	
	6			8		3		
9					1	4		
		4			9	2		
	3		7			9		

272

8					9	1	3	4
5								
	6		1		4	5		
		1						
9				7				3
						7		
		5	8		3		4	
								7
1	3	6	5					2

273

	2	3	7					
	6			3		9	4	
5				8	9		1	
						6	2	
6	4						8	1
	8	2						
	9		5	4				2
	1	6		2			5	
					1	4	3	

274

		3		6	7			2
7		5						
	2	1		8				5
					6		1	
	1		9		8		5	
	7		4					
8				7		2	4	
						6		8
6			8	4		5		

275

				1	8			7
3		9	2					8
7				9			5	
	4				2	9		
		2		8		4		
		3	4				7	
	1			3				4
4					6	5		3
8			5	4				

276

8							7	
			1	8				9
5		1			6		4	
3	1	2					8	
	5					1	9	4
	4		3			6		2
1				5	2			
	9							8

277

			1					
			4	2			8	6
		6		3		1	4	2
8							6	9
6	4						1	5
7	9							8
9	5	7		8		6		
1	6			7	3			
					5			

278

	3			4				
		8	7		6			5
9	2		5			3		
5				6		1		
			4		7			
		9		2				7
		3			1		2	8
6			8		2	9		
				9			1	

279

7					4	9		6
			3	6		5		
				7	5	3		8
4			9					5
		1				4		
3					2			7
1		6	5	2				
		9		4	3			
8		2	1					3

280

9			8					6
1	4	3						
		8					1	5
			3		7			
4	6						9	7
			5		4			
5	9					7		
						6	8	1
8					3			4

281

	9	4	6					7
			3			8		
8	1			7	4			
3					9			1
			7	6	5			
5			8					9
			1	5			9	8
		7			6			
9					8	6	7	

282

		9				8		
	8		3	9		2		
4	5				8			6
		6		5			2	
	1			6		4		
7			9				4	3
		3		1	4		9	
		8				6		

283

	9		7			1	2	6
	5	4			6	9		
	4			1		3		
7		9		3		4		2
		6		4			7	
		5	1			6	4	
4	7	1			5		8	

284

			7					6
					6	9	8	
			8	9	1			4
2		8		1			6	3
				3				
5	3			8		1		7
8			4	7	3			
	1	2	5					
9					8			

285

			7				2	
	7	6		8				3
		2	9		4			
7					8	3	9	
		9				8		
	1	3	2					4
			3		1	7		
9				2		6	3	
	8				7			

286

	4	7	9				5	
		8		3	2			
3		2	5					
2		1						
			1	4	5			
						7		9
					6	4		2
			3	5		8		
	8				4	6	7	

287

8	7							
								6
				4		5	3	1
		5		7	2	1		
1								7
		3	8	9		2		
9	5	7		1				
3								
							7	3

288

		6	3		2			
9	4		6					3
1							5	
			8	2				4
	6						2	
8				5	7			
	9							6
2					3		4	9
			7		9	1		

289

			8					
		5			7		4	
	2	8			3	7	1	
8			2	7	5			
	7	2				3	9	
			3	9	1			2
	6	7	1			9	2	
	5		7			1		
					6			

290

3	9					5		
5			8					
7		4		1			2	
		7						6
	4	2	6		3	1	7	
6						8		
	7			2		9		4
					7			3
		6					8	5

291

			9			1	5	3
7				4				
8		5		1				
9		7				3	1	
	8						9	
	5	1				6		4
				2		8		9
				6				1
2	6	9			7			

292

5		7					6	
4			9		8			
			5					2
	4		3			6		
1		9				2		7
		2			7		1	
2					9			
			6		1			9
	9					5		4

293

			9	4	7			
		5						
6	3			2	5	1		
8		1					5	2
		6		3		4		
4	5					9		6
		7	3	5			4	9
						6		
			2	8	4			

294

			5		2			
		7				2	5	3
		5			7			1
	2	9		7				
6	7			1			3	2
				2		4	6	
4			7			1		
1	9	8				5		
			1		4			

295

		3		9	2	8		4
1							9	
9	5				4			
					7			1
		1	2		9	7		
4			1					
			6				4	7
	2							8
3		7	4	8		1		

296

	2			4	7			
3		1	2					
							5	
	8	6			2			9
		3		9		6		
5			7			3	8	
	9							
					5	8		7
			3	1			9	

297

	3					1		
	8				7			
		7	5	6			2	9
			3	5	2		6	
2								8
	5		1	7	8			
4	9			3	1	2		
			6				3	
		8					4	

298

	5				4			1
1	9						8	4
			6		5			
	7					3		2
9				7				5
8		2					4	
			7		8			
6	8						9	3
3			4				2	

299

	8		2			1		
	1		6	3				
6	2						9	4
			7			9		3
			9	4	3			
4		3			1			
2	7						8	5
				7	9		2	
		6			2		3	

300

				6		8		1
		4		5				
	5		7					4
	6		3			9		5
	1		8		2		4	
2		9			5		8	
1					7		3	
				2		5		
9		2		3				

301

	2							
			3		1	7	8	5
		8	5					2
	3			9	2		1	
	7		6	1			4	
1					6	9		
5	6	9	4		7			
							3	

302

6					5		4	9
			2	3				
	8	2					1	
2	9						7	
		5	4		7	9		
	1						8	4
	2					7	9	
				2	1			
7	4		8					2

303

		9		8				7
	8	7						1
		5	1			9		4
	4		2	7				
			9		8			
				1	5		6	
8		1			9	3		
3						1	9	
6				5		4		

304

3				5			1	4
				6	1			7
	6					5		2
5			3	1		7		
		8		2	7			3
4		2					5	
7			1	8				
8	1			9				6

305

		1		5	7			9
4	6					1		
	8				3		6	
		5				3		8
	1			3			7	
7		8				9		
	5		7				3	
		3					9	4
8			3	1		6		

306

2	5		3				8	
		7			1		2	
	1	3		4				5
6						5	9	
		2				7		
	9	5						2
1				5		2	6	
	4		8			9		
	2				7		3	8

307

7							8	6
5				9	6		1	
	8	6		2				
			9					
	2		7		3		9	
					2			
				5		9	6	
	9		6	8				4
6	1							5

308

9		4		7				
5	2						8	
		8	5	6		3		
					9		7	
7	8						9	6
	6		7					
		3		5	7	9		
	5						4	2
				2		5		3

309

8	3	2		6	5			
	7						5	
				7	1			8
						9		5
7				9				1
9		1						
3			4	1				
	5						6	
			5	8		4	9	2

310

		1			2	7		
	3				8			
4				3				8
2	8		5					
9	1			8			3	7
					7		5	1
3				9				5
			3				1	
		6	2			3		

311

			3	6		4		5
5	3							
					9	6		
	6		2	4			5	
				8				
	1			5	7		8	
		9	7					
							4	8
2		3		1	5			

312

			3					4
	7		1	6	8			
3	9					2		
			9		3		1	
		8		7		9		
	2		4		6			
		2					7	9
			6	3	5		2	
4					9			

313

			1	9				
2			4		3	1		6
3		7						
1	4		5					
			8	2	7			
					4		2	5
						3		1
4		5	6		1			8
				8	2			

314

				6				2
6			8	2		7		
9					5	8		
		2		7				1
		8	3		1	4		
1				5		6		
		6	1					3
		1		3	9			6
5				4				

315

		7		8		4		
4	5			1				
6					9	2	5	
				7	4	1		2
2		9	5	3				
	8	1	7					3
				6			8	5
		6		5		9		

316

4	8		6		3			9
3			7			5		8
	9					2		
		9	3					
			2	5	6			
					1	3		
		2					1	
5		7			2			3
8			5		4		2	7

317

			8			4	5	7
			1					2
		3			9		1	
9	8						2	
2								4
	4						8	3
	1		5			8		
3					2			
4	9	5			6			

318

	5			3				4
		9			1	5		
		1	5				2	
		5	1		7			
				4				
			8		5	6		
	8				2	1		
		3	4			7		
2				8			4	

319

			6			2		5
				8	2	3	6	9
		2				4		
	4		9		6			
		8		3		6		
			8		5		4	
		3				9		
5	8	4	3	1				
2		9			8			

320

4							1	
		5			2		8	3
7			3			6	4	
	3							4
		6	2		4	3		
1							5	
	5	2			3			8
3	1		7			9		
	9							6

321

	3		1		5		9	
			2	9				
			7	6			2	8
		5						1
4		7				6		5
3						4		
8	7			1	4			
				5	2			
	5		6		7		1	

322

	4			6		9		8
	5		2	1		6		
								7
	1		5					
			1	7	6			
					2		8	
8								
		3		8	5		9	
4		6		3			2	

323

		1					5	
7	3				8			2
8					4			
	5			2	6		9	3
		6		7		2		
9	8		1	4			7	
			4					8
4			5				3	9
	7					6		

324

		5	3					9
	3	1	8		2	5		4
					7		3	
					8		2	5
				1				
4	8		5					
	4		2					
2		9	6		5	7	8	
5					1	9		

325

				6				7
		6	2		5		3	4
9		5						8
						2		9
	1			2			4	
3		2						
2						7		3
5	4		8		3	6		
1				9				

326

	6		3		7			
4	1				5		3	8
							2	
	5			9		4		
	4		2		3		5	
		1		4			8	
	8							
6	3		9				4	2
			8		4		9	

327

		2				4	9	7
					4		6	1
			7	1		2		
7	2			5				
			4		1			
				2			4	3
		1		7	5			
5	7		8					
3	4	9				5		

328

6						3	8	
7	1	3	6					
	8	9	1					
2				5			1	
1								9
	3			9				5
					2	5	3	
					6	4	9	2
	5	2						6

329

8							5	
	5			2	8	6	3	
			7				8	9
		9	3			7		
2				6				1
		8			2	3		
9	1				6			
	8	3	2	7			6	
	6							8

330

				3		5	1	8
5	4					7	3	
				7				
	5			2	7	9		
8		6				2		3
		9	6	4			7	
				9				
	9	1					5	2
4	2	8		6				

331

		3	6			5		
	4		9			3		
	2					8		1
				6	4	2	1	
			3		8			
	5	4	7	2				
3		8					5	
		1			5		9	
		2			9	1		

332

			5					
5	9			3		8	7	
	3	6			7			
7		4						
9		1	4		8	2		6
						5		7
			3			7	8	
	6	8		4			2	5
					2			

333

		2	7				4	
9					6			8
					9		7	
2	9			6			3	7
			9		8			
6	5			1			8	9
	2		6					
3			8					5
	7				5	4		

334

					7	2		9
	2		8		4	1		
			5			3	4	
9	4						2	
		6				4		
	7						5	1
	3	4			5			
		7	6		9		3	
5		9	3					

335

3		5	2	6		4		
	1				7		8	2
					4			
	2	7						4
6								3
5						8	1	
			5					
9	5		8				7	
		4		9	6	2		5

336

			2		9		8	
		5				6	4	
			5		8			9
		8					2	6
		6		9		1		
1	2					9		
4			1		6			
	5	7				8		
	6		3		7			

337

6	3			2	4	9		7
		4			5			
	9							
				3	1		6	
7		5				4		3
	6		2	4				
							4	
			1			5		
1		2	4	9			7	8

338

9			3		8		6	2
	7			9				
4						5		
2	3				4			8
		4				1		
7			1				9	3
		8						7
				7			3	
1	2		4		9			6

339

2		4	5	8			9	1
	6		2				7	
			7					
9	1		6				4	
	2						1	
	5				8		2	6
					2			
	4				5		6	
7	8			6	4	9		5

340

		4	9		3	2		
	7							9
	1			7				
	2			3				5
5	4						8	3
6				8			4	
				9			5	
1							9	
		3	5		4	1		

341

	5		7		9			
		7		5	8		1	
8	6	1	3					
	9					1		
6				2				7
		8					3	
					6	8	7	3
	3		5	8		9		
			4		7		6	

342

			3			4		2
6						9	3	
2			6		9			1
	8		2			3		
		4		1		6		
		6			5		2	
1			9		7			3
	3	2						5
7		8			2			

343

				9	4		7	8
1		5		6			4	
	8					2		
6			7		9			3
		4					1	
	9			2		3		5
7	2		9	8				

344

		8			5		9	
6							7	
			9	6		2	8	
9			4					
	6			9			4	
					7			1
	8	5		2	3			
	3							5
	7		6			4		

345

		8	9				2	
4		7					1	
	3	9						8
			5		8		7	
			3		2			
	1		4		6			
7						2	6	
	9					7		3
	6				4	9		

346

3			8			4		
8		1	9					
9	6			1				2
6		2			3			
				7				
			2			7		8
2				4			1	6
					8	3		4
		5			9			7

347

		8			6			
		7	2					
6		3		8			2	7
		6		3	1			
4	3						6	9
			6	9		4		
2	6			1		5		3
					5	6		
			7			2		

348

		3			7			
1		7	8			9		
						2		8
	7			3		5	2	
		6		5		8		
	9	2		4			6	
9		4						
		8			5	3		7
			4			6		

349

				3		1		
	1			5		9	3	8
							6	
1			7	2		4		
6	2		1		8		5	7
		7		6	3			2
	4							
7	5	2		1			8	
		3		7				

350

2	4			9		1		8
1		7						
		9			1			3
6			1		7			
		4				8		
			2		8			9
9			8			5		
						6		7
3		1		5			9	2

351

		1		3			9	8
		8				6		
6	9							
	8			9	5		7	
1		7				4		9
	5		2	7			1	
							2	4
		2				3		
7	3			4		5		

352

	3		8				1	
	1				5			
	5		9	1		8		
	6		1					2
				2				
7					6		3	
		1		7	8		6	
			5				2	
	9				2		7	

353

	9	4	3		8		2	
			1		2	5	4	
			6					
		9			6	1		
2	6						7	3
		8	5			6		
					3			
	3	6	8		5			
	5		9		1	4	3	

354

	4	8						
		1			9		5	
6			7					8
				4		5		1
3			2		7			9
8		5		6				
1					4			3
	5		6			9		
						6	7	

355

		9	8	4		6		
		1		6				7
	6						5	4
	3		7					6
6								2
1					6		7	
2	5						3	
9				5		7		
		6		8	7	5		

356

			4		8	3	6	
2							1	7
				5				2
	3	7	6				2	
				4				
	8				7	6	5	
8				1				
1	6							3
	9	3	5		4			

357

	5			4				
	9	3	7			5		
	7				5		6	
		8	2				7	
4			5		7			6
	6				1	8		
	3		6				8	
		6			9	2	5	
				1			4	

358

		9		4				2
		6	7					
4						1	5	9
			2		5			
1		5				8		3
			4		8			
6	4	8						5
					2	3		
7				5		9		

359

	1					3	9	
	7				1			5
8		2	4				7	
					5	1	2	
		9		4		7		
	6	1	8					
	4				8	5		7
7			3				1	
	2	6					3	

360

				2	8			6
					7			
		9	3			5	8	
6	5				2	7	4	
	8	3	6				2	1
	6	7			4	8		
			8					
2			1	5				

361

6		7			8			
		8		2	4			
		1	7					2
				4	2		6	
		2	3		9	4		
	9		8	1				
2					7	1		
			4	5		3		
			2			9		4

362

	1							2
8	3						6	4
		6		2	7			
					1		7	
2				9				8
	5		8					
			1	6		4		
7	8						5	6
3							9	

363

5	7				8			
	3				1			
		2				4	8	
		9		4	5		3	
4		5		3		2		8
	1		2	9		5		
	4	6				1		
			6				2	
			7				6	3

364

	9	8			5			
		6		2	4			9
	5					6		
	3		2				8	
		2		5		1		
	7				3		6	
		3					9	
9			7	1		3		
			9			8	7	

365

						3		
2		8	6			7	1	
	4		2		7		5	
							7	9
		3				6		
4	5							
	6		1		5		3	
	9	1			8	4		7
		2						

366

3		6	5					1
	7		8				5	2
	8							
		9	6	3		1		
7								6
		3		4	7	5		
							2	
1	2				5		6	
6					3	7		8

367

			3		7		4	
		5		4	6			7
			1	5				
	8		2		4		5	6
	3						9	
5	1		6		9		2	
				7	1			
9			4	2		1		
	7		9		3			

368

							8	9
1			6	3		4	7	
			5			6		
9	4			5			1	
5			7		3			8
	6			1			4	5
		7			4			
	1	2		7	5			4
4	5							

369

3			8				5	
		6		3	9			
7								4
	9			6		4	1	
	4	1		5			7	
1								9
			1	4		2		
	2				8			5

370

1		5		4				
					5	1		
3			7	1		5	2	
		2	1					
		7				4		
					2	9		
	6	3		5	4			9
		9	3					
				6		8		7

371

	2		9	6				
	3		7		1			6
	7		8					
	5	2					6	3
		4	5		2	7		
7	9					4	2	
					5		9	
9			3		7		1	
				1	9		4	

372

8								
5	1	3			4		6	
6			7	1		2		3
		7	5		1			
				9				
			4		3	6		
2		5		8	9			6
	9		3			8	1	5
								9

373

4		3					2	
			3			6		5
								1
			9		2	1	5	
	5		4		3		7	
	3	8	7		5			
9								
5		2			6			
	6					7		9

374

6								
1					5		8	7
	4	9			1	6		
3				4				
		4		1		5		
				3				9
		1	2			4	5	
2	8		7					3
								6

375

			7		9		4	
	8				5	3	7	
	4					1		
2		1		7			3	
			8		1			
	6			3		9		4
		9					6	
	1	5	2				8	
	3		9		7			

376

3					6			
		2		5		8	3	
	9							5
		4			7			1
7	1		4	9	3		2	8
6			2			4		
9							8	
	2	6		1		5		
			9					6

377

		9	1				2	8
		1				9	6	
		4		5				
	2		5	1				
	9						7	
				4	9		3	
				7		4		
	4	3				6		
9	1				8	7		

378

	5		7					4
6		8	2				7	
		7						
1			6			7		
7	2						5	9
		3			9			8
						9		
	4				1	5		7
3					7		1	

379

		5	8		9	6		
	4			5		3		
	6			3				5
	7	3						
5				9				4
						8	6	
7				1			9	
		6		2			3	
		4	7		8	1		

380

6	3		1					4
		5				9	7	
				7	5			
		1		3	9	8		
	5			1			9	
		4	8	5		1		
			5	4				
	8	2				5		
5					2		1	3

381

	7	8		1			2	
						6		
					5	1	4	9
6		9	1				8	
5				4				3
	3				8	4		7
8	6	2	5					
		5						
	1			2		8	5	

382

	4							7
	7	5		4	1			
6		2	7					3
7			1	8				4
				3				
4				6	5			9
8					4	3		6
			6	1		4	8	
5							2	

383

4								
1	8	3	4			7		
				1				6
	1	2	7					
	7		1		6		4	
					3	8	7	
5				3				
		7			8	2	1	9
								4

384

			3					4
					5	1	7	
	1	2	4				8	
			9				4	3
			2		7			
9	7				4			
	2				3	8	6	
	5	6	8					
7					1			

385

					2			9
8			6				3	
5			3				8	2
2		4					5	
	1			5			7	
	5					2		1
1	6				9			8
	9				6			3
7			8					

386

			9		7		1	
	4			3				
	3		2	5			7	9
		1					6	2
	7			6			9	
4	6					7		
3	1			9	5		2	
				8			4	
	8		7		1			

387

	4							
		6		1			9	
	1				6	5	4	3
		2			3	9		
	3			8			5	
		1	9			2		
1	9	4	3				7	
	8			7		6		
							1	

388

						7		
	6	8	7	2				3
5	2						9	
	9						6	
1			4	8	3			5
	5						7	
	1						4	7
4				6	7	5	8	
		5						

389

	1						3	
3		2					5	4
		4	3					
		1	8		3		4	5
5				7				2
8	4		5		9	1		
					2	4		
4	5					2		8
	3						6	

390

				5	7		9	
9							6	
					3	8	1	
5	7	4						
		6		8		4		
						2	7	6
	6	1	5					
	4							3
	5		4	7				

391

			5		2	1	3	
			9		1		8	
						6		
3			1			9	6	
8			4		6			1
	6	9			8			7
		2						
	3		8		9			
	4	6	3		7			

392

8		1	3					
	3		6	7				
	7					3		
3			2		8		9	
		5				7		
	6		4		7			5
		3					5	
				4	1		6	
					9	8		7

393

2	1	5				7	6	
				7				
				9	1		3	8
					8	5		2
5				3				7
1		4	7					
4	5		6	2				
				8				
	3	7				8	2	4

394

4		5			9			
6							1	
	9			6	5		8	
3			5			2		
		7		8		4		
		4			1			3
	4		9	1			2	
	6							5
			2			8		6

395

			4	1				
		8		3	5		1	6
	5					4		8
7		2			6			
	3						9	
			3			7		5
5		7					3	
3	9		1	6		5		
				7	3			

396

7			8			4		
		1	7				5	
	2		1				9	
	8		5			6		
		9		1		5		
		5			9		2	
	3				1		4	
	6				7	1		
		7			6			2

397

		6		3	8			1
		1		7	4		3	8
						4		
						3	9	
9	8			1			4	7
	2	3						
		4						
7	5		3	4		9		
3			7	5		8		

398

8	4			9	5			1
				1				
					7	2		4
	7							
	9	2	6		4	8	7	
							4	
2		9	1					
				4				
5			3	2			9	8

399

		5	7	6				8
						3	1	
1	8			4		7		
	1					6		
	9			3			7	
		4					5	
		8		1			3	9
	6	2						
4				9	2	8		

400

		2	9					
8		6						
	1	7		6		2	3	8
			2	9			7	5
2	9			1	8			
1	3	8		2		4	9	
						7		3
					9	1		

401

5		3	6		7		9	4
4	2			8				
6	3				1		2	
8				9				3
	5		8				4	6
				2			5	9
1	4		3		9	7		8

402

		1						
2	4						8	6
5			6	2	8		4	
				4			6	
	5	4		6		2	7	
	6			9				
	9		2	7	5			8
7	2						5	9
						7		

403

			1	8		3	6	9
							1	2
		1			6			
8				6			2	
		5		9		4		
	1			4				3
			6			7		
9	6							
4	2	8		1	9			

404

2					6			
	4			7				9
	6	1			8	7		4
3	1					8		
6	8						7	1
		7					9	3
1		2	6			3	5	
8				2			1	
			1					8

405

				4				
9			6	2				7
					8		3	6
2	4				3	7		
		5				8		
		3	4				6	2
7	5		9					
8				7	2			4
				8				

406

						7		3
9					3		4	
	1	4		9			5	
6		5	4				7	
		8		5		9		
	2				9	5		4
	5			2		6	3	
	3		7					9
7		9						

407

4		8	7					
	3		4	5				
		2			6			5
6	2			4			8	
			8	3	7			
	8			2			4	7
3			2			1		
				6	5		9	
					4	7		3

408

1						8	4	
		4	5			1		2
				3				5
2		1		4				8
5				6		7		3
6				2				
8		2			4	5		
	5	3						1

409

8	4		3	1				
		5	9	8				
9		6	7					
	5	8						
	1			9			4	
						1	8	
					5	2		9
				7	9	6		
				6	8		5	3

410

9		1			8	6		
	4							
5	2	8	7				9	1
	9	6	3				1	
	8				9	7	2	
2	1				3	9	7	4
							8	
		9	4			1		2

411

5				9		1		
8		2						9
9	1		3		6		8	
	7		2		8			
2								4
			9		3		2	
	2		6		7		9	1
7						2		8
		9		3				5

412

	1				5		4	
		5	4	6		2		
	2						8	3
7				2				
	8		7		9		6	
				5				7
1	4						2	
		8		1	2	6		
	9		3				1	

413

	5	6	1	9				3
	1		5	2				
8						7		
5			2			8		7
9		8			5			6
		9						8
				8	2		3	
1				3	6	5	2	

414

				5			1	
		8			4		2	6
			9		3	7		
	7			2	5	9		
8								7
		1	4	9			8	
		9	5		6			
6	8		3			1		
	4			7				

415

4			6					2
					2	1		
7	8					9		
			1			6		
1		5		3		8		4
		6			8			
		1					2	8
		8	3					
3					7			9

416

7			8					3
6				5			2	
3						1	4	
8			7	3				
	6						5	
				2	5			4
	7	8						9
	2			9				6
4					8			2

417

		3	2				1	
1			5	8				3
9							5	
								8
	5	6		4		7	3	
4								
	9							7
3				2	8			5
	8				1	2		

418

	2		9			6		
						2		7
	1				3		8	
1			3	9		8		
3				6				4
		6		7	8			1
	4		8				5	
5		9						
		1			7		4	

419

4		8	5		3		1	
			2			4	7	
		9			4		2	
	1							4
		6				7		
9							5	
	9		8			2		
	3	4			9			
	6		4		7	5		1

420

4				3	6		8	
7			4			3		9
					8		7	
			1				6	
1				6				5
	3				9			
	8		6					
3		9			2			1
	1		3	4				8

421

		3		7	5			2
		7						8
	5				6			3
4				5	2		6	
	3		6	1				5
2			9				3	
3						9		
1			7	8		2		

422

			4	5	2			9
	5						8	4
				7		5		
6	4			1				
9		8				3		5
				3			1	6
		9		8				
5	8						7	
4			9	6	1			

423

	5		7		8			
8	7			9				6
					4			3
1		8		6			3	
	3			1		4		8
7			9					
3				8			1	7
			3		2		6	

424

8	9			2				
	4		5	6		8		
7		1			8			
						2		6
	5			3			8	
6		9						
			8			4		1
		4		1	6		2	
				4			7	9

425

1		7			4			9
8					2			
	2					5	1	
2		9		7				
	8						7	
				8		6		1
	6	1					2	
			4					5
7			5			9		6

426

	9	4						3
2			7					4
	7	8	5				2	
1					6	4		
9								8
		6	3					7
	5				9	3	6	
6					7			5
4						2	7	

427

3	4				7	2		
							9	7
7		5	2					
			4				6	3
8		6				1		4
1	7				6			
					1	8		6
2	8							
		3	8				2	1

428

	7			1	3		9	
				2			4	
3					7	1		
						5	1	
	3		2	9	1		6	
	1	9						
		6	8					4
	5			4				
	2		7	6			5	

429

		2			3			
	7	3	6	4				
5	8	4						
3		8	7		4			
		5				7		
			5		8	6		3
						5	6	4
				7	5	2	9	
			1			8		

430

		6				5		9
		3	6	5			7	
		5	4				3	
5	6							
			5	2	1			
							8	5
	7				3	9		
	5			7	6	2		
8		4				6		

431

	3		9		7		5	
								3
		6	8	3			7	
		5			4			
2	6						4	9
			7			6		
	7			2	9	4		
4								
	2		6		1		8	

432

	6	4	2	3			1	
					1		4	
1					4			
			7			3	8	1
				6				
7	3	2			9			
			3					7
	2		8					
	5			1	6	9	2	

433

		7		6			3	1
3	9			2			7	4
	8	9	2	5	1			
			9		8			
			6	7	4	9	2	
7	4			9			1	6
9	3			1		7		

434

4		3			2			
			8			5		
1				5				
5			4			6	2	
9			6		3			8
	7	6			9			4
				1				6
		9			5			
			2			4		5

435

			9	8			4	
9						5		
	6					1	3	
				7	8	2	1	
			4		9			
	3	8	2	6				
	5	7					6	
		6						8
	8			4	5			

436

	3	8			7			2
6			8				9	
		2	4				8	
			2	7		3		
			3		6			
		3		8	9			
	6				4	9		
	9				1			8
3			9			7	4	

437

		6			5			7
			9		1		5	6
8	5					2		1
	3				7			
	7		5		9		8	
			3				1	
5		7					2	8
9	8		6		2			
2			8			6		

438

	9						7	
3					2	5		
	7		6	9		3		
		9				2	4	8
5	4	2				1		
		6		3	7		2	
		8	9					4
	5						1	

439

					9			4
7	6			3	5			2
			8					
				8	7	1		5
4								6
2		7	5	6				
					3			
6			2	7			4	3
3			6					

440

8					4			5
		9			6	1		4
					1			
	6				2		9	
		5				8		
	1		5				2	
			4					
9		4	1			7		
5			8					3

441

		8			9			2
						4		
	4			2	6	3	7	
		4	2					
	3	1		9		2	5	
					3	8		
	9	2	8	7			1	
		6						
5			6			7		

442

1			7			5		9
6		7		3				
		4		5			1	
7	4					1		3
				8				
9		5					8	4
	3			7		6		
				6		2		1
5		6			2			8

443

			6	3		8		
					5	9	2	
		7						4
3					2	4	8	
		5		9		6		
	1	9	8					3
7						2		
	6	8	5					
		2		6	8			

444

7			9	3	2			1
				6			2	
	8	6	5					
		8			4			3
	7						4	
6			1			7		
					5	1	7	
	2			4				
8			3	2	1			4

445

		9	1	6				
5	4	1		3			2	
1				7	2		3	8
		6				4		
9	3		6	4				7
	1			5		3	4	9
				9	6	2		

446

	9		5		1			4
5			7			1		
3				9		8		
	5		1		6	4		
				4				
		6	2		3		8	
		2		6				5
		5			2			8
7			3		5		2	

447

	3			6	5	8		
		9	1					3
					8	1		
2		5					9	
	9						1	
	6					3		8
		3	6					
4					1	6		
		1	2	5			3	

448

			8			1	7	
9	8		5	2		4		
6					1			
4						6		
7		8				2		5
		5						7
			3					4
		4		7	8		2	3
	3	6			4			

449

9		2	4		8			
	8	7			6			
				5				
5	9	4					8	
	2	6				3	9	
	3					4	6	2
				2				
			7			6	5	
			5		4	9		3

450

		2		5			4	
4		1	9		6	5		
5	8		1			2		
7			6		5			9
		4			8		1	5
		6	2		9	3		4
	2			3		1		

451

			8				7	5
	9		6		1			2
	1							
		9			6	2		
	3						4	
		5	7			9		
							5	
2			3		8		9	
4	5				9			

452

			2			5	4	
					7	9		
		7	8	9				1
						2	7	9
		8				6		
1	9	4						
5				6	8	4		
		3	9					
	4	6			2			

453

				2			4	
			7			5	3	
1		2			9			
	1				6			5
3	2		5		7		1	6
6			2				8	
			9			2		3
	8	9			3			
	7			5				

454

		4	8			3		
	5						2	
8					4	5		6
6				9		4		2
			1		7			
3		9		2				8
7		2	5					3
	8						5	
		1			2	6		

455

			2				1	
	5	7			9		2	
4							3	
	8				2			6
		9		1		8		
6			4				9	
	1							9
	2		3			5	4	
	3				6			

456

		7		6	9		4	
3			5			2		
	6			7				
8	4				5			
	5	9		1		6	2	
			9				8	4
				9			7	
		4			2			5
	1		7	5		4		

457

	9		7		3	8	4	
						3		
			4	9			7	
	1	4		3			8	
	5		8		9		3	
	3			4		2	5	
	4			8	7			
		9						
	8	2	1		4		9	

458

			1		8	9		
		9						3
	8		9	3		2		
8		1			3		6	9
6								2
3	9		6			1		5
		2		7	1		9	
1						7		
		5	2		6			

459

		3		9		4		1
1		8						
	9		2					
			5				1	6
	5		3		6		4	
6	2				8			
					7		8	
						9		5
9		4		5		3		

460

		8	3	2				
		7				2	4	
	3				6			9
							9	2
1		9		7		6		4
3	4							
6			8				5	
	8	4				3		
				6	2	9		

461

4				8				5
			9			7		
1	6		7					
		4		9	7	1		
	8						6	
		3	5	6		4		
					2		3	6
		5			9			
7				3				2

462

		6			8	2	7	
	8					9	3	
7			9					
						4	2	
			5	8	2			
	1	3						
					1			4
	4	5					8	
	3	1	7			6		

463

		6	9		7			
9		3						
4	5					7		3
						6		8
5			7	8	6			9
6		1						
7		2					8	5
						4		6
			4		2	9		

464

1		7					2	
		3			5			
2	9		8					
	6		9	8				
	2			7			1	
				2	4		6	
					9		4	3
			3			8		
	1					2		6

465

3						6	2	1
	1			6				8
		9						
6		8	7	5				9
	3		6		8		7	
5				9	3	8		2
						3		
7				4			1	
8	5	6						7

466

		3		6				4
	9	7		4				5
	2		3					6
			9		6			8
				7				
9			2		4			
3					7		5	
8				9		7	4	
4				3		9		

467

					6			
1				9		3		6
4		2	3	5		9		
3	4	6					5	
				7				
	7					4	2	9
		5		3	2	7		4
2		3		8				5
			5					

468

	6			1				
3		2	6		9		4	
	7		2		4			
9					5	2		4
4		5	7					6
			4		8		3	
	8		5		1	4		7
				3			2	

469

1		6				3		
	4		3		5	1		
				1				
3		4				6		
6		1	9		4	5		3
		8				4		9
				5				
		3	2		1		9	
		9				7		5

470

				1	2	8		
	7		4			6		
6					9			
7			8				9	
		1				5		
	3				1			6
			1					3
		9			3		4	
		3	2	5				

471

				9	7	3		
					4		1	8
			3			9	5	
	3	1				8		
7		5				4		3
		8				1	2	
	5	7			3			
9	1		4					
		4	6	7				

472

		6	9		7		4	2
	1							
3			4				7	
6	5					2		
		2	3		8	6		
		1					3	4
	7				3			6
							2	
9	6		2		1	8		

473

					2			8
	6							2
	9		5			4	7	
8				9	3	1	6	
			2		1			
	5	1	8	4				7
	8	3			9		5	
1							8	
6			1					

474

		6	7		3			
2				4		8	6	
								1
		9	2			1		
7	4			8			9	5
		8			4	2		
6								
	3	7		9				2
			1		7	5		

475

								8
9	8			3	1			
	6				5	2		
1		8		5				9
	4			6			2	
3				2		8		1
		3	5				8	
			6	1			4	5
2								

476

8					1	3		
			7	5		9		
		3				7		
	2				8	6	5	
	4						9	
	3	8	1				4	
		2				1		
		1		3	9			
		6	4					8

477

		7		6	4		5	
						6	4	
			3		9			
		4			7	3	1	
5				9				2
	7	3	1			8		
			9		6			
	5	2						
	8		2	7		1		

478

2		5	9			7		
				2				8
					3	2		
6				9			5	
	8	1				3	9	
	3			1				2
		6	2					
7				4				
		2			8	9		7

479

				4	9		3	
	9		1		8			
5				3				4
		3				1	9	
7								3
	6	1				5		
4				8				9
			3		1		7	
	8		2	7				

480

8		1	2			7		
		7			6	9		
			3	8			1	
			5	7			6	1
5	7			3	2			
	6			9	3			
		4	7			6		
		5			1	2		9

481

5	8		6				2	
4	1			9				
			2			1		
		4			3			
7	9						8	1
			7			4		
		6			2			
				4			1	2
	2				8		9	4

482

			6	3				5
2				8		4		3
		5	2					
1		6						
			1	5	7			
						7		9
					1	9		
7		1		9				2
5				7	8			

483

4				5	8			
	3				2	7		
8	5			7			1	
1		4						
	2						9	
						2		5
	4			1			2	9
		1	5				6	
			9	8				3

484

	1			7		5		
7					5			
		3	9		1			
4	9		8					
	3	1				4	2	
					2		3	6
			1		8	6		
			2					4
		7		6			8	

485

	5				1			
9		6	8	5				
			9			7	8	5
		8				2		
			3	8	4			
		1				4		
6	2	5			9			
				7	3	5		1
			5				6	

486

		2	3		7		8	
				2		6		
6	9							1
4	3					8		
2			4		6			9
		9					4	5
3							2	6
		4		1				
	2		7		3	1		

487

	4	1	6		3		7	
			5					
	5	7			8	6		9
7		8						6
6						8		2
3		6	2			1	4	
					9			
	7		8		4	9	2	

488

			8		3			
				6			4	
						6	2	3
		3		8		2		6
1		8				5		4
2		5		4		9		
7	1	4						
	8			7				
			2		5			

489

	1					7		
			4				3	
		3	8		2	4		9
	5			3		9		
3		8				5		6
		2		4			7	
4		6	1		9	8		
	7				4			
		9					4	

490

	6					1		
8					4		7	
	3				7		2	6
7		6		3				
9				4				2
				6		3		9
6	7		5				9	
	8		2					4
		2					1	

491

		1	8					
		7			5		1	9
5				4			8	
	5		1					
7			3	5	4			1
					2		4	
	9			6				7
3	1		2			5		
					9	8		

492

	1		7			8	9	
2						4		6
	6				8			
	4			3			2	7
3				5				1
1	7			9			6	
			1				4	
6		4						9
	9	1			6		3	

493

	2	8		4				
	5		7			3	2	
4								
5	1	2	9				6	
8			2		6			1
	6				4	2	5	8
								9
	8	9			3		7	
				1		8	4	

494

7	3	8			1			5
			3		5			2
				7				
	6			8	7	5		
4								9
		9	1	3			6	
				1				
5			7		3			
3			2			9	4	8

495

	2	4			3		6	1
		8	4			7		
	6							
			7				5	9
		9	1		8	2		
5	4				2			
							2	
		5			4	9		
8	7		9			4	1	

496

	8	3			2			
9	5	7	8			2		
		1	4		7			
	4					8		2
3		8					7	
			9		3	7		
		2			6	3	8	5
			5			9	2	

497

8			2				1	
	9	3		1		6		
5				3				8
	2					3		
	3	1				8	4	
		5					7	
3				6				1
		2		8		7	3	
	8				1			6

498

6		4		7				
3		7				1		
1				4	5			
5			8					
		9		1		3		
					2			4
			1	3				5
		3				9		2
				8		7		6

499

						7	2	
		2	9					4
3		1	8					5
7				5				
	5		1		9		3	
				4				7
6					5	2		8
4					1	3		
	8	9						

500

6	1			4				
2		4		3				
	8	5			7			6
	3					5		
	7		1		8		6	
		6					9	
1			7			9	4	
				1		6		2
				5			8	1

501

		2						6
5						1	4	
	4		5		2			
	3			5	7	4		
				8				
		5	1	4			8	
			9		6		2	
	6	9						5
7						8		

502

		4		6	9		1	3
	8	3		1		6	5	
	6		1			7		
	3						2	
		7			2		6	
	2	9		5		4	3	
6	5		3	2		9		

503

	2					7		
8			5	1		6		
1			7			5		
		1		8			9	
	7			9			6	
	5			4		3		
		4			6			3
		3		5	4			7
		2					5	

504

				2	9			
				6		8	3	5
		1				7	2	
					3	1		8
		2				5		
5		7	9					
	7	3				6		
6	5	4		8				
			4	7				

505

6								5
		8			6			
7	9		5				1	
4	3		1					
		5	3	7	9	2		
					8		3	1
	5				7		2	9
			6			7		
1								4

506

	6	9					2	
3				9				5
							4	6
5					6		1	
	4		1		3		5	
	9		5					8
7	1							
6				3				1
	5					2	7	

507

8					5	3		2
	1	2	7					
7			9					4
				3	9			
	8						2	
			5	6				
3					4			7
					7	9	8	
1		7	3					6

508

				2	9		1	6
	1				5			
6	7					4		
	6		1	5				8
2								9
5				6	2		7	
		4					6	7
			3				2	
7	5		2	1				

509

		2		6		7	3	
7								
			4	9				2
	3	9			8	2		7
	1						5	
2		7	3			8	9	
8				1	5			
								8
	7	3		2		9		

510

		7						
		2				4		
9			4	8	6			
				7		3		8
6		1				7		4
3		5		9				
			9	1	2			3
		9				8		
						5		

511

	3		9			4		
								2
4			5			7	3	
	1			4	6		5	
8	7			9			6	4
	4		1	2			7	
	8	3			4			7
6								
		4			3		9	

512

	4			7				
	7	5					2	
			8	2		4	1	
6			2			1		
	9						7	
		3			6			8
	1	9		6	8			
	5					3	6	
				1			9	

513

	7			8	1			9
			7				4	
				4		8	1	
					6	1	3	
		5				7		
	3	7	4					
	2	4		5				
	9				2			
7			8	6			5	

514

						2	4	
		9	1				5	
8	2					7		6
		2	7	1				
3								7
				9	2	1		
9		7					6	5
	4				1	3		
	5	3						

515

	5			7			4	
			3				9	8
	1					2		3
	4				1	9		
		1	6		5	7		
		5	2				8	
9		4					5	
5	8				9			
	7			5			3	

516

	5				3		7	2
2		7			9			
		8						
4	9				5			7
				7				
8			9				5	4
						7		
			5			4		1
5	3		8				9	

517

		3		4		5		
	9							7
			8	5	7			
	4	2						8
	1			3			5	
9						3	2	
			5	2	6			
8							9	
		1		7		2		

518

	4				5			
			8			9		3
8				1	4	7		
6		4			3			9
	9						8	
3			5			4		2
		3	7	4				6
9		7			8			
			3				9	

519

				9	2	5		
		8		5			4	
	7		4					
1					4	8		
	2	6				3	7	
		5	2					9
					9		6	
	4			8		9		
		3	7	2				

520

	1			7				5
	4	3	2	8		6	9	
							8	
	3		7					
		7	1	2	6	4		
					3		1	
	6							
	7	4		6	2	1	5	
9				4			2	

521

5						1	4	
	2		5			9		3
			2		4	6		
8				3			1	
9								7
	1			5				4
		3	7		8			
4		1			3		5	
	8	7						9

522

4								
3			2	7				9
			3	9	4		8	
	3	9			8			1
2								4
8			1			2	9	
	6		5	3	9			
1				4	2			3
								6

523

					9			7
	1		7	5				9
	9	8			2	4		
	8							5
5				1				4
4							3	
		7	4			5	9	
3				9	5		8	
1			8					

524

				6	2		4	
	3	8				7		
2								
	5				1			9
		3	9		5	8		
6			7				5	
								1
		2				4	7	
	9		3	1				

525

		5	7	9	3	6		
					6		8	3
						5		
			3			9		8
	9	2		5		3	4	
1		8			4			
		6						
7	5		4					
		3	6	8	7	4		

526

	2				4		7	
			2	5				4
	1			7			5	6
		1					6	
9			6	4	7			8
	4					5		
8	7			9			1	
1				2	6			
	3		1				4	

527

	7			6	1		5	
6			5	4			7	
		1			3	6		
3								
		5		9		7		
								8
		4	1			9		
	2			8	6			7
	8		3	7			1	

528

					8		2	
2	1							5
4				9	7			6
	9				6			
	2		1	4	5		9	
			8				3	
1			3	5				2
7							4	9
	8		9					

529

8		6			2			
		1					3	
7	3				1			4
			7			6	9	
5				6				1
	6	7			9			
6			3				1	9
	4					5		
			1			2		8

530

7			1	2		8		
					9			1
9					7		2	
4		2	6			3		
		5			2	7		4
	8		4					2
2			8					
		7		1	6			3

531

		2	1					
	1						5	7
4						6	2	1
7			6				4	8
	2			4			1	
8	3				1			9
5	4	7						2
1	8						7	
					8	5		

532

2	5	3	1					
					2		5	
1					6	2		
6	8					9		
9				4				2
		5					8	7
		6	2					8
	7		4					
					8	1	7	9

533

	4			1		8	3	
8								
			3		8	9	4	
7				4	5			
		5	9		1	4		
			7	3				5
	9	7	5		3			
								9
	6	1		8			2	

534

	9	4	7			5		
6						3		
1			4	3				
				5		7		8
			3	9	2			
5		9		8				
				7	3			2
		1						5
		8			5	6	3	

535

		2		4				
					8		9	4
	8		9		5	3		
8				5		9	4	
4				8				2
	2	7		9				8
		6	5		2		3	
1	7		3					
				1		4		

536

1		5						
		2	9	8				5
						7	9	
	5		2		1			7
4								1
9			3		4		5	
	1	7						
8				3	5	2		
						4		8

537

8	9			5				
					7			
4		7		9	2	8	3	
1	6							3
	7		5		1		2	
3							9	4
	4	9	8	6		3		2
			2					
				1			4	6

538

		8	6				1	5
	6		8					3
4						6		
		6			5			
	4	9		3		5	8	
			4			1		
		4						7
5					2		9	
2	7				3	8		

539

			4			9	1	
								4
4	3	6			1		8	
3			9	7				
		5		6		1		
				8	3			9
	1		8			4	6	3
5								
	4	2			9			

540

3		4	2		8	9		
2		5	1	4				
	7							
9	8							
		2		8		3		
							9	8
							1	
				5	6	8		7
		8	9		3	5		2

541

4			3				9	
			5	2			1	
				6	8	2		7
6	9					5		2
		7				1		
1		5					3	4
7		9	1	5				
	6			9	3			
	4				6			5

542

	7	4					6	
9			7		2	4		
5			9	4				
		7		6			3	
2			4		9			7
	9			1		6		
				2	4			5
		9	8		3			2
	2					8	7	

543

		4	1	6				
2	5		4	3				
8	6							4
		2	8	9				
	7	6				3	9	
				7	6	1		
5							8	6
				1	9		3	5
				8	4	9		

544

			2			6	8	
5			3			2		
7				9	6			
4				6		5	9	
1	2						4	6
	8	6		3				1
			9	2				4
		7			8			5
	3	9			7			

545

3			2			9		
	9						4	8
6	4	7			1	2		
1				3				
		6		5		8		
				1				5
		5	8			3	6	4
9	7						8	
		8			3			1

546

	7	3						8
5	4				6			
			3	4				2
			2	6		3		
	5	7				8	2	
		2		1	7			
7				3	4			
			9				4	1
6						7	3	

547

9				3			1	
		5		7			8	
		7	8		9	6	2	
			9					1
	2	8				9	5	
7					3			
	9	2	3		4	7		
	7			2		4		
	5			9				2

548

6	3				1		9	
			7	9		8		
4	7							1
9				8	4			5
		6				4		
7			3	5				8
1							8	4
		7		4	3			
	4		2				1	9

549

		8				7		3
2					5	6	1	8
			8	1				
	5		1	6			4	
		2				3		
	7			3	8		9	
				5	3			
5	6	4	7					9
3		7				8		

550

		3			8	9		
7					1		3	
2		4		6	3			
					9	7	4	
4	7						9	8
	2	8	3					
			7	9		5		4
	9		1					3
		1	2			8		

551

					5	6		3
7				4			1	
9			3		6	7		
	1	7	4		3			
	5						6	
			5		9	4	7	
		8	6		1			4
	7			3				6
3		1	8					

552

	7	6				5		3
4				2		6		
			5	6	3			
2	5			7				
	9		2		1		6	
				9			4	2
			6	4	9			
		2		3				4
7		3				9	1	

553

5	4	7						
			7	5				2
				9	8		7	5
	1	5		8				
		4	2		7	6		
				4		9	2	
1	7		4	2				
8				1	5			
						2	1	3

554

	6		8	2		9		
8	7				5			
		2				6		7
	9					1		3
			6	1	9			
6		1					9	
5		8				2		
			5				1	4
		7		8	1		5	

555

	2		5	3	4			
1						9	3	
		7		9				2
			1				6	8
		1	8		2	3		
3	5				7			
9				8		6		
	8	3						7
			2	7	9		4	

556

	5		1	9				7
			7		8	4		
7				2		9		
4	1						8	
5		7				3		9
	6						1	4
		4		8				2
		8	6		2			
2				1	3		4	

557

		4	8	9		2		
	7		5				8	
8	9						4	
9				1				8
		8	6		2	7		
4				7				5
	2						3	7
	4				5		6	
		3		6	7	9		

558

9				1			3	7
7					8		2	
			7	4		8		
		4					5	3
		9	1		3	4		
8	6					7		
		1		3	2			
	3		9					5
2	8			7				1

559

	7	5	2					
			7			3		2
2				1			9	
6	9				4	5		
7				3				9
		1	6				8	3
	1			2				6
3		8			1			
					7	8	5	

560

7			2	3				
	4	3		1	5			
	6	5			9		1	
6	1	4						
			4		7			
						8	2	4
	7		3			2	6	
			7	2		5	8	
				9	8			7

561

	7		6				2	
	6			2		4		
4			5			3		
3		4	9	6				
7	8						4	6
				8	4	2		5
		8			6			4
		1		3			7	
	4				2		1	

562

9					7	4		3
	4	6		5				
	1		3				9	
		8	6				3	
6				7				1
	7				2	6		
	2				1		5	
				3		8	4	
4		9	2					6

563

6			4	8		7		
	4	1	2					
2								4
	1			2		8		3
		7	9		8	1		
5		9		4			7	
7								6
					4	2	8	
		4		3	2			1

564

	7		5		8	3		
4		3				7		
2	5		3					1
	8			4	6			
			8		7			
			9	2			6	
5					3		4	8
		2				1		6
		6	4		2		5	

565

		8	2		4			
	2		6	3			4	
3		4						8
8				1		5		
	7	2				1	3	
		5		2				9
7						8		2
	9			4	2		7	
			1		5	3		

566

			6			1		9
	1	8		2			5	
			8	7				2
	4		7			5		
3		9				6		7
		6			8		4	
9				1	5			
	5			6		3	2	
7		1			3			

567

2				8	4			
	9	4				5		
					5	6	4	
4	8			2	6		3	
1								9
	7		3	4			2	8
	2	1	6					
		8				9	5	
			5	7				6

568

			3	5			8	
	6	9	7					
3		2	1			7	6	
4	5							
2				8				7
							9	6
	3	8			7	1		9
					2	4	7	
	2			1	3			

569

7		5					9	
3	9		5					
	2		1	7				
		9	3	4		1		
4				5				3
		7		9	6	2		
				2	4		5	
					8		6	1
	6					8		4

570

3	7		5			9		
2		4		6				
6	8		3					
7		2	9					
	6			1			3	
					6	8		4
					2		8	9
				3		2		7
		9			1		4	6

571

		6	2			4		
	4			1				7
8					7	1	6	
9	7					8		
			5	8	6			
		8					3	4
	5	7	8					3
4				3			2	
		9			2	6		

572

3		5						4
	9		5				6	
2				6			1	9
			8	9			5	
		2	4		3	6		
	8			2	6			
4	2			7				1
	7				4		3	
9						7		6

573

4			8		9			
		1				7	5	
	3			5				4
3			1			8		
	2			9			3	
		7			3			9
9				6			2	
	5	8				6		
			2		4			7

574

5	2	3						
		8	3	9				
9			2	5			3	
7		5	1				8	
8								6
	6				3	9		4
	4			6	5			9
				3	7	8		
						6	7	5

575

6				9	8		2	
			6		2		1	
		4					7	6
2		9				7		
3				5				9
		7				4		2
5	1					8		
	9		3		1			
	6		9	7				1

576

9				2	7	5		
3			1					6
		4	5	9				
	5				6		3	
	9						6	
	1		7				2	
				6	8	3		
8					1			4
		6	3	5				9

577

					4	7		2
4								8
9	7			6	2			
	1	4			3			
2	9						5	3
			5			4	2	
			8	2			4	1
7								5
8		6	3					

578

	2	7			1			
6		4				3		
3			7		6	1		
							6	8
	4	2				7	5	
7	5							
		1	6		8			4
		3				6		7
			2			5	9	

579

				4	7	6	2	
	1	6						
2					8			5
		1		7				
5			1	3	4			6
				9		2		
4			7					2
						4	8	
	7	5	4	6				

580

2		5	7					
	1			9				
4	9		2				6	
1	4	8	3		5			
			1		9	8	2	5
	8				3		1	6
				5			7	
					2	4		3

581

	1			6			4	5
5		3	4		2		6	
		6						
					9		2	
1				8				9
	7		6					
						7		
	4		2		8	9		6
7	8			4			5	

582

			8					
					5		6	4
6	8			2				9
			4			5	2	
7		8				9		1
	1	4			7			
9				4			5	3
5	4		9					
					2			

583

		1					9	
	7		3	5				
						3	5	1
	6			9		2		
			4		2			
		5		6			4	
4	5	6						
				1	5		2	
	9					7		

584

	9							4
			7				3	
	5				1	7	2	
			6			9		2
1		2				5		3
6		9			3			
	4	7	5				1	
	1				2			
5							7	

585

	6		3					
	3		7	1				
	1					2		7
2	9		8			5	4	
		3		9		1		
	8	5			1		7	9
4		6					8	
				7	6		1	
					3		5	

586

			4					
	5	6					8	3
			6	2			1	9
3	2					6		
			1		5			
		5					3	4
8	6			7	2			
9	1					7	5	
					4			

587

	1		9		3			
2							4	8
7			2	1				
9	5					3		
		7	8		1	6		
		3					8	7
				4	9			6
5	9							4
			1		7		9	

588

		4	8	5	2		6	
2			6					
6				3			8	
	2		1	9				6
	3						4	
1				7	4		5	
	1			8				3
					3			9
	4		9	6	1	5		

589

	5			6	7			
		3					5	1
			3					8
	3	4	6		8	5		
		2				4		
		7	1		2	8	3	
6					9			
3	8					7		
			8	5			4	

590

8		9						
		2	5					
	7			3	2		9	
	2		8	7				6
6								4
7				6	5		1	
	6		1	2			4	
					6	3		
						8		5

591

	3		5				4	
	7		8			3		
1			4				7	
6						5		7
9	1						2	4
7		3						8
	6				7			5
		1			2		6	
	4				5		1	

592

2			6					
5			1		9	8		
3	4	8			5		6	
						4		5
		3		1		9		
1		4						
	2		9			7	5	8
		5	4		7			3
					6			1

593

	2		8				7	
			2	5				1
	9	4			6			
		9					3	
		2	6		9	4		
	3					6		
			7			8	9	
6				2	8			
	4				1		5	

594

8					6			
	2	6	4					
	4		3		1		5	
1			7			8		
3								7
		2			3			9
	3		8		7		1	
					2	7	9	
			5					8

595

			8		2		4	
6			3					
	9	8		5				7
		7	1					2
5			7		4			6
4					5	7		
2				4		6	9	
					7			5
	8		2		6			

596

		4	5		2	7		6
		6	1					8
			8				4	
	2						3	
6		7				5		9
	8						6	
	1				5			
7					3	1		
5		3	4		7	8		

597

	7		5	9		6		
3	6				8			
								4
		4	1	3			6	
7		5				1		2
	9			2	5	4		
2								
			6				1	3
		8		4	7		2	

598

		5	3				6	
1			4			3	8	
	3		9		8			
							3	9
3			7	4	6			1
4	1							
			8		2		9	
	7	1			3			2
	2				4	1		

599

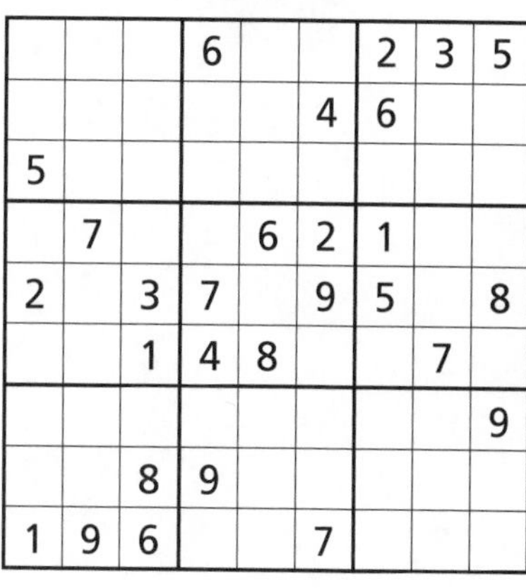

			6			2	3	5
					4	6		
5								
	7			6	2	1		
2		3	7		9	5		8
		1	4	8			7	
								9
		8	9					
1	9	6			7			

600

		5		6	8	4		
	8	7	1					5
6								9
				4	6			
5	9						6	7
			9	5				
8								6
7					4	5	1	
		9	6	7		2		

601

3	4							5
			6			3		
9			3	5				7
		2			4		5	
8			7		2			4
	3		8			6		
2				7	1			6
		9			6			
1							9	2

602

8	1							
7	3		4					
			1			7	8	2
	4			7		2		1
			5	9	1			
1		8		4			7	
4	5	9			3			
					9		6	5
							3	8

603

			6		9		5	
	1	7		5	4			2
	4					1		
1				4				
	5	6				4	2	
				6				5
		1					8	
4			2	3		9	6	
	3		7		6			

604

	8			4			1	
				3		9	6	
		3			2		7	
		8			4		9	
4		2	9		6	1		7
	9		5			8		
	1		3			2		
	4	7		1				
	3			6			8	

605

		2		8				
	5	7	9					1
		6	5			9		8
			4	9				
3	9						5	4
				2	5			
6		3			7	8		
2					9	5	7	
				1		6		

606

4								
				5		2		
	5	2	3			9		4
	6			1	4			
2		5	9		7	8		1
			6	8			3	
7		9			2	3	5	
		3		7				
								8

607

	9	6			2			
4	8					7	6	5
								4
9	5			2		1		
			5		4			
		3		1			2	8
6								
1	2	5					3	9
			4			6	5	

608

		4	2					5
		9		3				8
			8			7	1	9
						2		
	6			5			8	
		1						
5	2	3			4			
9				1		5		
8					7	3		

609

5		2				8		
		8	7					
	9		8	3		5		
	6	7						8
	8		2		1		7	
4						6	2	
		5		1	9		8	
					2	9		
		3				2		1

610

3				2				
7	6		4					
					3		2	
	3	8		5	6	7		
6				9				8
		1	2	3		5	4	
	8		3					
					1		6	3
				7				4

611

	8		3		4	5		
						1		9
1		2						6
		3	2	9			1	
			5		1			
	1			3	6	9		
9						4		3
4		6						
		8	9		3		5	

612

	9							
			7			3		5
	6	2	1				7	
			2			4		
6		3	4		9	8		2
		8			1			
	1				2	5	8	
9		6			7			
							4	

613

	9	2			5		8	
		8				4		
	3		6		4			
	5		8					6
	7						3	
8					9		2	
			9		7		5	
		9				7		
	8		1			9	6	

614

				2	1	6		
2								7
3					6		2	
	1				7		4	
7			8		9			3
	9		1				8	
	4		6					5
9								2
		7	9	1				

615

5							8	
		4			1	9		
7				9			2	
			2		8		9	4
	2	7		3		1	6	
3	9		1		4			
	7			4				2
		2	6			7		
	1							6

616

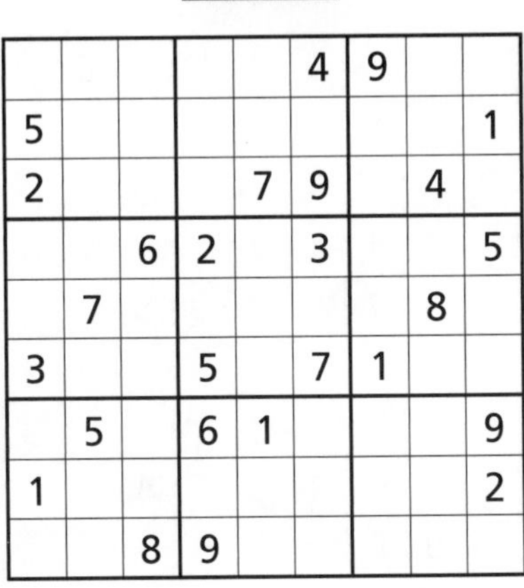

					4	9		
5								1
2				7	9		4	
		6	2		3			5
	7						8	
3			5		7	1		
	5		6	1				9
1								2
		8	9					

617

					4	5	2	
		6		3				8
9				7		1		
	5				7		3	
				8				
	3		5				8	
		2		9				7
1				6		8		
	7	9	1					

618

				5				
5	6		4	7		3		
			2	1			4	
1		3						9
		4				5		
6						7		4
	8			2	5			
		9		6	4		8	1
				3				

619

			9	4		7	3	
		5			3		4	
9			5	2				
							1	4
		7				8		
8	4							
				8	1			3
	2		3			4		
	9	8		6	5			

620

		1		7	5			8
	7			3	8	6		
							9	5
	4					2		1
				2				
8		2					6	
4	3							
		8	7	1			5	
1			2	8		9		

621

7			1				5	
					3		4	6
4	2			8	6		3	
8		3						
				2				
						5		3
	7		6	5			2	1
3	8		4					
	6				1			8

622

		6	9					
3		7		8			9	
					7		2	8
					1	9		
		5	7	4	3	8		
		4	8					
6	1		3					
	7			5		4		9
					9	2		

623

	5	2			9		7	
				5				
					6	8	5	9
6			3			5		
8								2
		1			4			8
7	3	9	6					
				3				
	4		8			9	1	

624

	8	7		4			3	
		9						6
							9	
8					3	4		
	2		5		8		7	
		5	9					3
	5							
3						1		
	1			7		2	5	

625

	4					6		
9				3				
6					5			1
		6		8	9			7
2		3				1		6
5			6	1		2		
7			5					4
				4				5
		4					9	

626

4			6				2	
		5	2	8		6	3	
1					4			2
			7	6	1			
7			5					3
	2	6		1	8	5		
	4				6			9

627

4								9
			9			7		
	2		6	4	7			8
5	3	1						
				7				
						1	3	2
1			3	6	9		7	
		9			2			
7								5

628

		4		2		7		6
				1			4	
	8							
		3	7			6		5
			3	5	8			
4		7			1	9		
							5	
	3			8				
9		6		7		4		

629

		3		2				4
		6		8		3		1
8			4				6	
	7				6	8		
	2						1	
		8	1				9	
	6				9			8
4		9		6		2		
3				1		9		

630

1				5		8	2	
	4				8	1		
				4				3
	2					5		
		4	6		2	7		
		1					3	
3				1				
		8	5				9	
	6	2		8				7

631

		2			8	4		
			1	9	5			
	9							
4	5			1		3		7
	8			7			1	
9		7		6			2	4
							7	
			3	8	6			
		5	9			2		

632

4					8			3
	1			2				8
6		2					4	
	9		1	4				
			7		5			
				8	9		3	
	4					9		1
5				7			8	
1			2					7

633

	9					2	1	4
		7		6				8
			1		8			
3	5			2	6	9		
		2	9	1			5	3
			7		1			
7				8		5		
2	8	5					3	

634

4				2	5		6	9
					7	4		
				6		8		1
1		6					9	
		5				3		
	9					6		7
5		9		8				
		4	1					
2	1		9	7				6

635

			9	2			3	6
7				8	6	1	9	
							2	
			6					
6		1	7		5	9		8
					1			
	9							
	7	4	1	6				3
3	8			7	2			

636

	1			7			5	
8			1	4		7		
			8					9
	4					3		5
7			2	1	5			8
5		6					1	
9					1			
		2		8	7			3
	7			2			4	

637

	1	5						4
		4	3			8	7	
			4					
				8		6	9	
8			7		5			3
	4	2		1				
					2			
	5	7			8	1		
2						3	8	

638

1			5		3			
	9	3	6					
7		5	9					3
	2			6		3	5	
	6	7		8			9	
3					5	1		4
					6	2	7	
			7		2			9

639

				4		2		
	4		2		7		8	
9			5					3
1							3	
2		3		1		5		4
	8							7
4					1			2
	6		3		9		4	
		2		7				

640

6	7		3					
			5					6
		4			2			
		1			5	6		
	5		8		4		3	
		6	1			4		
			4			7		
7					1			
					7		5	2

641

						8		6
				8	6	3	2	
3			4				5	
1					3	6		
6								1
		3	2					7
	6				5			2
	3	4	9	7				
5		7						

642

					9			4
			2			6	3	
7				4		1		
					8			9
3	5						6	2
4			7					
		1		6				5
	3	9			7			
6			3					

643

8	2							9
1			8	4			7	
			6			8		
6		2	5			9		
				3				
		3			7	6		8
		5			4			
	6			5	8			1
2							8	3

644

				1				
	1			8	9	2		
9			4		2			5
1				2		8		4
	3	2				5	7	
4		9		6				3
7			8		6			2
		6	3	7			8	
				5				

645

				9	3			
			6				4	7
					1	9	2	6
6		1						4
	9			2			3	
8						7		9
1	8	7	3					
4	2				9			
			1	5				

646

	4		9	6				
9			4					
3			2		7	5		
	7					4	3	
	9		5		4		8	
	2	8					7	
		9	6		5			3
					2			7
				3	9		4	

ANSWERS

1

3	7	8	1	6	2	4	5	9
4	6	2	5	3	9	1	7	8
9	5	1	7	8	4	3	6	2
1	4	7	3	9	6	2	8	5
2	9	5	8	1	7	6	3	4
6	8	3	4	2	5	7	9	1
7	2	6	9	4	8	5	1	3
8	1	4	6	5	3	9	2	7
5	3	9	2	7	1	8	4	6

2

4	1	6	2	3	5	7	8	9
5	9	7	1	8	6	3	4	2
8	3	2	7	4	9	5	1	6
9	4	1	8	6	3	2	7	5
6	5	8	4	2	7	1	9	3
2	7	3	9	5	1	4	6	8
1	6	5	3	9	4	8	2	7
3	8	4	6	7	2	9	5	1
7	2	9	5	1	8	6	3	4

3

2	7	4	3	1	8	6	5	9
5	1	6	7	2	9	4	3	8
9	8	3	6	4	5	2	7	1
1	4	5	8	7	6	9	2	3
6	2	7	1	9	3	8	4	5
8	3	9	2	5	4	1	6	7
3	6	2	9	8	7	5	1	4
4	9	1	5	3	2	7	8	6
7	5	8	4	6	1	3	9	2

4

7	3	1	4	9	8	5	2	6
5	8	6	7	3	2	9	1	4
4	9	2	6	1	5	8	7	3
3	7	4	5	8	1	6	9	2
8	6	5	9	2	7	3	4	1
2	1	9	3	6	4	7	8	5
6	5	8	2	4	9	1	3	7
1	4	7	8	5	3	2	6	9
9	2	3	1	7	6	4	5	8

5

3	1	8	5	9	6	2	7	4
2	7	5	8	1	4	9	3	6
6	4	9	7	2	3	8	5	1
7	3	6	1	4	9	5	8	2
8	5	2	3	6	7	4	1	9
4	9	1	2	8	5	3	6	7
5	8	4	6	7	2	1	9	3
9	6	3	4	5	1	7	2	8
1	2	7	9	3	8	6	4	5

6

7	8	9	6	2	4	5	1	3
4	3	6	7	1	5	8	2	9
5	2	1	9	3	8	6	7	4
6	5	8	2	4	7	3	9	1
9	1	2	8	6	3	7	4	5
3	4	7	5	9	1	2	8	6
1	6	3	4	7	2	9	5	8
2	9	5	1	8	6	4	3	7
8	7	4	3	5	9	1	6	2

7

2	1	4	6	3	5	8	7	9
8	5	9	7	4	1	2	6	3
7	6	3	9	8	2	5	4	1
3	8	2	5	9	6	7	1	4
5	7	1	4	2	3	6	9	8
9	4	6	8	1	7	3	2	5
6	9	5	3	7	4	1	8	2
1	3	8	2	6	9	4	5	7
4	2	7	1	5	8	9	3	6

8

4	6	3	7	9	8	5	2	1
5	7	8	6	2	1	3	9	4
9	1	2	5	3	4	7	6	8
6	5	7	4	8	2	1	3	9
1	8	9	3	6	7	2	4	5
2	3	4	1	5	9	8	7	6
8	2	5	9	7	6	4	1	3
7	4	6	8	1	3	9	5	2
3	9	1	2	4	5	6	8	7

9

8	4	2	6	7	9	5	3	1
1	3	6	2	4	5	7	8	9
9	7	5	8	3	1	2	4	6
7	1	3	4	2	8	9	6	5
4	2	8	5	9	6	3	1	7
5	6	9	3	1	7	8	2	4
2	8	1	7	5	4	6	9	3
6	9	7	1	8	3	4	5	2
3	5	4	9	6	2	1	7	8

10

4	7	1	5	8	6	2	3	9
8	9	2	4	7	3	1	6	5
3	5	6	9	1	2	4	8	7
9	2	3	6	5	7	8	4	1
6	1	8	3	4	9	7	5	2
7	4	5	1	2	8	6	9	3
1	6	9	2	3	4	5	7	8
2	8	4	7	9	5	3	1	6
5	3	7	8	6	1	9	2	4

11

7	2	6	1	4	9	5	3	8
9	5	1	8	7	3	2	4	6
4	8	3	2	5	6	1	7	9
5	6	9	3	1	4	8	2	7
2	3	8	9	6	7	4	5	1
1	4	7	5	2	8	9	6	3
3	7	2	4	8	1	6	9	5
8	9	4	6	3	5	7	1	2
6	1	5	7	9	2	3	8	4

12

5	2	6	7	3	9	4	8	1
4	7	3	8	1	2	6	9	5
1	8	9	4	5	6	7	3	2
8	3	1	9	4	7	5	2	6
2	9	7	3	6	5	1	4	8
6	5	4	2	8	1	9	7	3
7	6	8	5	9	3	2	1	4
9	4	5	1	2	8	3	6	7
3	1	2	6	7	4	8	5	9

13

4	5	3	7	8	1	2	6	9
9	8	7	2	5	6	4	1	3
6	1	2	9	3	4	5	8	7
5	7	9	1	2	3	8	4	6
2	3	8	6	4	7	9	5	1
1	6	4	5	9	8	3	7	2
7	2	5	4	6	9	1	3	8
8	4	6	3	1	2	7	9	5
3	9	1	8	7	5	6	2	4

14

1	7	9	2	4	5	3	6	8
3	8	5	6	9	7	4	2	1
4	6	2	8	3	1	5	7	9
2	4	8	7	1	9	6	5	3
7	3	6	5	2	8	1	9	4
5	9	1	3	6	4	7	8	2
8	5	3	4	7	2	9	1	6
6	1	7	9	8	3	2	4	5
9	2	4	1	5	6	8	3	7

15

5	4	1	2	9	7	3	6	8
2	3	8	5	4	6	1	9	7
7	9	6	1	8	3	4	5	2
6	2	5	3	7	9	8	4	1
1	7	4	6	5	8	9	2	3
3	8	9	4	2	1	5	7	6
4	1	7	9	3	2	6	8	5
9	6	2	8	1	5	7	3	4
8	5	3	7	6	4	2	1	9

16

3	9	7	5	4	1	8	2	6
1	8	2	7	3	6	5	4	9
5	6	4	8	9	2	7	1	3
2	7	5	3	1	4	6	9	8
4	3	8	6	7	9	2	5	1
9	1	6	2	8	5	4	3	7
6	2	1	9	5	8	3	7	4
7	5	9	4	6	3	1	8	2
8	4	3	1	2	7	9	6	5

17

3	5	8	4	6	9	2	1	7
9	2	6	1	8	7	4	5	3
4	7	1	3	2	5	8	9	6
7	6	5	8	3	1	9	2	4
2	1	9	5	4	6	3	7	8
8	3	4	9	7	2	5	6	1
6	4	7	2	9	3	1	8	5
5	8	2	6	1	4	7	3	9
1	9	3	7	5	8	6	4	2

18

2	9	4	3	5	7	8	6	1
8	5	7	4	6	1	2	3	9
3	1	6	2	9	8	7	5	4
5	2	1	7	8	3	4	9	6
6	7	8	5	4	9	3	1	2
9	4	3	6	1	2	5	7	8
4	6	2	9	7	5	1	8	3
1	3	5	8	2	6	9	4	7
7	8	9	1	3	4	6	2	5

19

8	9	7	5	6	2	3	4	1
2	4	5	9	3	1	8	6	7
3	6	1	7	8	4	5	9	2
6	2	8	3	4	7	9	1	5
1	5	4	2	9	8	7	3	6
9	7	3	1	5	6	2	8	4
4	8	9	6	2	5	1	7	3
5	1	6	8	7	3	4	2	9
7	3	2	4	1	9	6	5	8

20

3	8	7	9	4	1	6	5	2
5	9	2	7	3	6	1	8	4
1	4	6	5	2	8	3	9	7
6	2	4	8	9	7	5	3	1
8	1	3	2	5	4	9	7	6
7	5	9	1	6	3	4	2	8
4	6	8	3	7	5	2	1	9
9	7	5	4	1	2	8	6	3
2	3	1	6	8	9	7	4	5

21

2	8	5	6	1	9	4	3	7
3	4	1	5	2	7	6	8	9
7	9	6	3	4	8	1	2	5
5	1	9	7	8	3	2	4	6
6	3	4	2	5	1	9	7	8
8	2	7	4	9	6	5	1	3
4	6	3	1	7	5	8	9	2
9	5	2	8	3	4	7	6	1
1	7	8	9	6	2	3	5	4

22

4	5	7	1	6	3	8	2	9
8	6	3	9	7	2	5	4	1
1	2	9	5	4	8	3	7	6
3	9	1	8	5	7	4	6	2
7	4	5	6	2	1	9	8	3
2	8	6	4	3	9	1	5	7
5	3	4	2	9	6	7	1	8
9	1	2	7	8	5	6	3	4
6	7	8	3	1	4	2	9	5

23

5	2	3	1	9	7	8	6	4
7	1	6	5	8	4	2	3	9
8	4	9	2	6	3	7	5	1
4	6	2	7	3	5	1	9	8
9	8	1	6	4	2	5	7	3
3	5	7	9	1	8	4	2	6
1	7	8	3	5	6	9	4	2
2	3	4	8	7	9	6	1	5
6	9	5	4	2	1	3	8	7

24

6	4	8	7	9	2	5	1	3
7	2	3	4	5	1	9	8	6
1	5	9	3	8	6	4	2	7
4	3	2	1	7	9	8	6	5
9	8	7	2	6	5	1	3	4
5	6	1	8	4	3	7	9	2
2	9	6	5	1	7	3	4	8
8	1	5	6	3	4	2	7	9
3	7	4	9	2	8	6	5	1

25

9	5	1	2	4	6	8	7	3
6	7	2	5	8	3	4	1	9
8	3	4	9	1	7	2	5	6
4	6	7	8	2	1	9	3	5
2	1	8	3	5	9	6	4	7
5	9	3	6	7	4	1	8	2
3	2	5	1	6	8	7	9	4
7	8	9	4	3	2	5	6	1
1	4	6	7	9	5	3	2	8

26

5	1	2	8	3	7	9	4	6
6	3	9	4	1	2	7	8	5
8	7	4	5	6	9	2	1	3
2	4	8	1	5	3	6	9	7
9	6	1	7	2	4	3	5	8
7	5	3	9	8	6	4	2	1
1	9	6	3	4	8	5	7	2
4	2	5	6	7	1	8	3	9
3	8	7	2	9	5	1	6	4

27

3	6	5	7	4	9	8	2	1
9	4	8	1	2	3	5	6	7
2	7	1	8	6	5	9	3	4
7	3	4	2	5	6	1	8	9
1	9	2	3	8	7	4	5	6
8	5	6	4	9	1	2	7	3
5	8	9	6	3	4	7	1	2
4	1	3	5	7	2	6	9	8
6	2	7	9	1	8	3	4	5

28

3	7	1	6	5	2	8	4	9
8	4	5	7	9	1	6	3	2
6	9	2	3	4	8	1	7	5
4	5	3	8	1	6	2	9	7
1	8	9	2	7	4	3	5	6
7	2	6	9	3	5	4	1	8
5	1	8	4	6	7	9	2	3
2	3	4	5	8	9	7	6	1
9	6	7	1	2	3	5	8	4

29

1	6	5	9	3	8	2	4	7
8	2	7	4	1	5	6	9	3
4	9	3	2	7	6	5	8	1
3	8	4	5	2	9	1	7	6
9	1	6	3	8	7	4	5	2
7	5	2	1	6	4	9	3	8
2	7	9	6	4	3	8	1	5
6	4	8	7	5	1	3	2	9
5	3	1	8	9	2	7	6	4

30

8	6	1	5	4	3	9	2	7
2	3	5	7	8	9	1	6	4
4	7	9	1	2	6	8	3	5
3	2	7	4	1	5	6	8	9
5	9	4	8	6	2	3	7	1
6	1	8	9	3	7	5	4	2
7	4	3	6	5	1	2	9	8
1	8	2	3	9	4	7	5	6
9	5	6	2	7	8	4	1	3

31

6	4	1	5	8	3	7	2	9
8	7	2	4	1	9	6	3	5
5	9	3	6	2	7	1	4	8
7	5	4	8	6	2	9	1	3
1	8	9	3	7	5	2	6	4
2	3	6	1	9	4	5	8	7
3	6	8	9	5	1	4	7	2
4	2	5	7	3	6	8	9	1
9	1	7	2	4	8	3	5	6

32

6	4	1	8	5	7	3	2	9
7	9	5	6	2	3	8	4	1
2	3	8	1	9	4	5	6	7
5	6	4	3	1	9	7	8	2
3	1	9	7	8	2	6	5	4
8	7	2	5	4	6	1	9	3
4	8	7	2	3	5	9	1	6
9	5	3	4	6	1	2	7	8
1	2	6	9	7	8	4	3	5

33

1	2	5	4	3	7	6	8	9
6	3	4	2	8	9	1	7	5
9	8	7	1	5	6	4	2	3
7	6	9	3	1	4	2	5	8
3	1	2	5	9	8	7	6	4
5	4	8	6	7	2	9	3	1
8	7	1	9	2	3	5	4	6
4	9	3	7	6	5	8	1	2
2	5	6	8	4	1	3	9	7

34

2	7	9	8	4	5	6	1	3
3	4	8	7	1	6	9	5	2
6	1	5	2	9	3	4	7	8
9	6	1	5	3	4	8	2	7
8	3	2	6	7	1	5	4	9
4	5	7	9	8	2	3	6	1
7	2	6	3	5	8	1	9	4
5	8	4	1	2	9	7	3	6
1	9	3	4	6	7	2	8	5

35

9	4	1	8	5	7	3	6	2
8	6	3	9	1	2	7	4	5
5	2	7	4	6	3	1	9	8
1	5	9	7	3	4	2	8	6
7	3	4	6	2	8	9	5	1
2	8	6	1	9	5	4	7	3
3	9	5	2	4	6	8	1	7
4	7	2	5	8	1	6	3	9
6	1	8	3	7	9	5	2	4

36

4	5	3	7	9	1	2	8	6
6	7	1	3	8	2	9	5	4
2	8	9	4	5	6	3	1	7
3	4	6	2	1	5	7	9	8
7	9	5	6	4	8	1	3	2
1	2	8	9	3	7	6	4	5
5	6	4	1	2	3	8	7	9
9	1	2	8	7	4	5	6	3
8	3	7	5	6	9	4	2	1

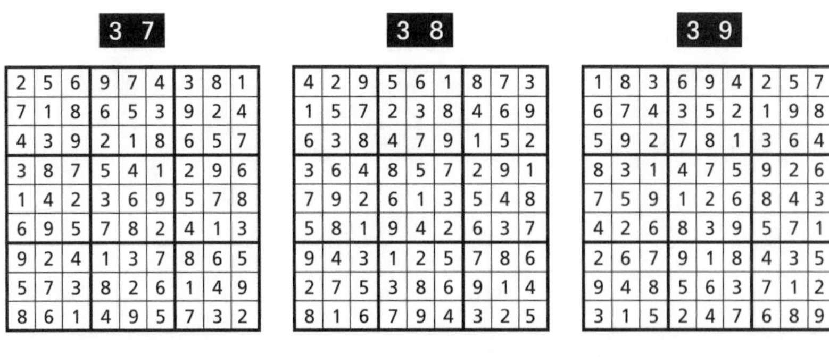

37

2	5	6	9	7	4	3	8	1
7	1	8	6	5	3	9	2	4
4	3	9	2	1	8	6	5	7
3	8	7	5	4	1	2	9	6
1	4	2	3	6	9	5	7	8
6	9	5	7	8	2	4	1	3
9	2	4	1	3	7	8	6	5
5	7	3	8	2	6	1	4	9
8	6	1	4	9	5	7	3	2

38

4	2	9	5	6	1	8	7	3
1	5	7	2	3	8	4	6	9
6	3	8	4	7	9	1	5	2
3	6	4	8	5	7	2	9	1
7	9	2	6	1	3	5	4	8
5	8	1	9	4	2	6	3	7
9	4	3	1	2	5	7	8	6
2	7	5	3	8	6	9	1	4
8	1	6	7	9	4	3	2	5

39

1	8	3	6	9	4	2	5	7
6	7	4	3	5	2	1	9	8
5	9	2	7	8	1	3	6	4
8	3	1	4	7	5	9	2	6
7	5	9	1	2	6	8	4	3
4	2	6	8	3	9	5	7	1
2	6	7	9	1	8	4	3	5
9	4	8	5	6	3	7	1	2
3	1	5	2	4	7	6	8	9

40

8	6	1	9	7	4	2	3	5
9	4	2	6	3	5	1	7	8
7	3	5	2	1	8	6	9	4
2	8	6	7	4	9	5	1	3
1	9	7	5	8	3	4	2	6
4	5	3	1	6	2	9	8	7
3	7	9	4	2	6	8	5	1
5	1	4	8	9	7	3	6	2
6	2	8	3	5	1	7	4	9

41

3	4	2	7	6	8	9	5	1
5	6	8	9	2	1	3	7	4
1	9	7	3	5	4	6	2	8
4	1	3	2	7	9	5	8	6
2	5	6	8	4	3	7	1	9
8	7	9	5	1	6	4	3	2
6	8	5	1	9	7	2	4	3
9	2	1	4	3	5	8	6	7
7	3	4	6	8	2	1	9	5

42

9	8	5	4	3	2	1	6	7
3	6	4	8	7	1	5	2	9
7	2	1	6	5	9	4	8	3
5	9	7	2	6	4	3	1	8
2	3	6	1	8	5	9	7	4
1	4	8	7	9	3	2	5	6
6	5	3	9	1	7	8	4	2
8	1	2	3	4	6	7	9	5
4	7	9	5	2	8	6	3	1

43

4	2	8	7	5	1	9	6	3
1	5	3	9	4	6	2	8	7
6	9	7	3	2	8	4	1	5
5	6	4	8	3	9	1	7	2
3	7	1	5	6	2	8	9	4
9	8	2	1	7	4	5	3	6
2	1	6	4	9	7	3	5	8
7	3	9	2	8	5	6	4	1
8	4	5	6	1	3	7	2	9

44

6	5	7	4	9	3	8	1	2
3	4	8	7	2	1	9	6	5
2	9	1	8	5	6	4	3	7
5	1	4	9	7	2	3	8	6
7	6	9	1	3	8	5	2	4
8	3	2	6	4	5	7	9	1
9	7	3	2	1	4	6	5	8
4	2	6	5	8	9	1	7	3
1	8	5	3	6	7	2	4	9

45

5	2	3	4	1	9	6	7	8
8	7	1	6	5	3	9	2	4
9	4	6	8	2	7	5	3	1
4	1	8	2	6	5	7	9	3
2	5	7	3	9	8	1	4	6
3	6	9	7	4	1	8	5	2
6	3	5	1	7	2	4	8	9
7	8	4	9	3	6	2	1	5
1	9	2	5	8	4	3	6	7

46

4	3	1	6	2	5	9	8	7
5	7	9	3	8	1	2	4	6
6	8	2	4	9	7	3	5	1
8	1	3	5	6	9	7	2	4
2	4	6	1	7	8	5	3	9
9	5	7	2	4	3	6	1	8
3	6	8	7	5	4	1	9	2
1	2	4	9	3	6	8	7	5
7	9	5	8	1	2	4	6	3

47

8	4	1	7	5	3	6	2	9
2	6	7	9	8	4	5	1	3
3	9	5	2	6	1	8	4	7
7	2	4	3	1	8	9	6	5
6	3	8	5	2	9	1	7	4
5	1	9	6	4	7	2	3	8
9	7	2	1	3	5	4	8	6
1	8	3	4	9	6	7	5	2
4	5	6	8	7	2	3	9	1

48

2	3	8	7	4	6	9	1	5
5	9	7	2	1	3	4	6	8
6	1	4	9	5	8	2	3	7
3	4	1	5	8	9	6	7	2
7	8	5	4	6	2	3	9	1
9	6	2	1	3	7	5	8	4
1	7	3	6	2	5	8	4	9
8	5	9	3	7	4	1	2	6
4	2	6	8	9	1	7	5	3

49

2	3	7	6	8	9	4	5	1
1	9	6	5	7	4	2	3	8
4	8	5	1	3	2	6	9	7
8	7	9	3	2	5	1	4	6
6	5	1	7	4	8	9	2	3
3	4	2	9	6	1	7	8	5
9	1	4	8	5	6	3	7	2
7	6	8	2	9	3	5	1	4
5	2	3	4	1	7	8	6	9

50

8	5	4	3	6	2	9	7	1
1	6	9	4	8	7	2	5	3
2	7	3	1	5	9	8	4	6
5	2	7	6	9	4	1	3	8
9	3	6	8	1	5	7	2	4
4	8	1	7	2	3	6	9	5
7	4	8	2	3	6	5	1	9
3	1	5	9	7	8	4	6	2
6	9	2	5	4	1	3	8	7

51

2	9	4	7	6	1	5	3	8
3	6	5	4	2	8	7	9	1
8	1	7	3	9	5	2	6	4
7	4	2	6	1	3	8	5	9
9	3	6	8	5	2	4	1	7
5	8	1	9	4	7	6	2	3
1	2	9	5	8	4	3	7	6
6	7	8	2	3	9	1	4	5
4	5	3	1	7	6	9	8	2

52

4	2	6	9	1	8	7	3	5
3	5	7	4	2	6	9	1	8
9	1	8	5	3	7	4	6	2
7	9	1	3	4	2	8	5	6
2	6	4	7	8	5	1	9	3
8	3	5	1	6	9	2	7	4
6	8	3	2	9	1	5	4	7
1	7	2	6	5	4	3	8	9
5	4	9	8	7	3	6	2	1

53

7	1	9	8	3	4	2	5	6
4	5	6	9	2	1	7	8	3
2	8	3	7	5	6	1	4	9
6	4	7	2	8	9	5	3	1
8	2	5	4	1	3	9	6	7
9	3	1	6	7	5	8	2	4
3	6	2	5	9	7	4	1	8
1	9	8	3	4	2	6	7	5
5	7	4	1	6	8	3	9	2

54

3	9	6	4	2	7	1	5	8
7	1	5	8	3	9	2	6	4
4	8	2	6	5	1	9	3	7
5	2	3	1	7	4	8	9	6
8	6	1	5	9	2	4	7	3
9	7	4	3	8	6	5	2	1
1	5	8	9	6	3	7	4	2
6	4	7	2	1	5	3	8	9
2	3	9	7	4	8	6	1	5

55

3	8	1	4	9	5	6	2	7
2	6	5	7	3	1	8	4	9
4	7	9	2	6	8	1	3	5
8	4	3	5	2	6	9	7	1
7	1	2	3	8	9	5	6	4
9	5	6	1	7	4	2	8	3
1	3	8	6	5	7	4	9	2
6	2	4	9	1	3	7	5	8
5	9	7	8	4	2	3	1	6

56

9	8	3	2	5	4	7	6	1
2	5	4	7	1	6	8	9	3
7	1	6	8	3	9	2	4	5
6	2	5	4	7	8	3	1	9
4	3	1	5	9	2	6	7	8
8	7	9	3	6	1	5	2	4
5	9	2	1	8	7	4	3	6
3	6	7	9	4	5	1	8	2
1	4	8	6	2	3	9	5	7

57

5	2	7	6	4	9	8	1	3
1	3	6	8	2	7	9	4	5
4	8	9	3	1	5	7	6	2
2	9	4	7	5	1	3	8	6
6	1	5	4	8	3	2	9	7
3	7	8	2	9	6	1	5	4
9	5	2	1	7	4	6	3	8
7	6	1	5	3	8	4	2	9
8	4	3	9	6	2	5	7	1

58

5	3	1	9	2	7	8	6	4
6	9	2	1	8	4	3	5	7
8	7	4	6	5	3	9	1	2
1	5	3	8	7	6	2	4	9
2	6	9	3	4	1	7	8	5
7	4	8	5	9	2	6	3	1
3	1	5	7	6	9	4	2	8
4	8	7	2	3	5	1	9	6
9	2	6	4	1	8	5	7	3

59

7	1	2	3	5	9	6	8	4
6	3	9	7	4	8	1	5	2
4	5	8	2	1	6	3	7	9
5	4	3	1	7	2	8	9	6
9	6	7	4	8	3	2	1	5
2	8	1	6	9	5	7	4	3
8	9	6	5	2	1	4	3	7
3	7	5	8	6	4	9	2	1
1	2	4	9	3	7	5	6	8

60

7	9	6	4	8	1	2	3	5
8	4	5	7	2	3	6	1	9
3	2	1	9	5	6	7	4	8
4	6	8	2	1	7	5	9	3
1	5	9	6	3	8	4	7	2
2	7	3	5	4	9	1	8	6
6	1	2	3	9	4	8	5	7
5	3	4	8	7	2	9	6	1
9	8	7	1	6	5	3	2	4

61

6	7	9	5	4	3	2	1	8
2	8	3	1	6	7	5	4	9
5	1	4	2	9	8	3	6	7
8	4	7	3	5	1	9	2	6
9	6	5	7	2	4	1	8	3
1	3	2	9	8	6	4	7	5
7	9	1	6	3	2	8	5	4
3	2	8	4	7	5	6	9	1
4	5	6	8	1	9	7	3	2

62

8	5	4	2	6	9	7	3	1
1	3	2	8	5	7	6	4	9
6	7	9	3	1	4	2	5	8
3	2	7	9	4	6	1	8	5
4	8	5	1	3	2	9	7	6
9	1	6	7	8	5	4	2	3
7	6	3	4	9	8	5	1	2
5	4	8	6	2	1	3	9	7
2	9	1	5	7	3	8	6	4

63

8	6	7	4	2	3	9	1	5
2	1	9	6	5	7	3	8	4
4	5	3	8	1	9	6	7	2
6	3	4	9	8	2	7	5	1
7	2	8	1	6	5	4	9	3
5	9	1	3	7	4	2	6	8
3	8	6	7	4	1	5	2	9
1	4	2	5	9	6	8	3	7
9	7	5	2	3	8	1	4	6

64

8	6	7	5	2	1	4	9	3
5	4	2	8	3	9	7	6	1
9	1	3	6	7	4	2	8	5
3	9	4	2	5	7	8	1	6
7	5	6	4	1	8	3	2	9
2	8	1	9	6	3	5	7	4
6	2	8	1	4	5	9	3	7
1	7	5	3	9	2	6	4	8
4	3	9	7	8	6	1	5	2

65

9	3	7	6	2	1	8	5	4
5	8	4	7	9	3	1	2	6
2	1	6	5	4	8	7	9	3
3	5	9	4	6	7	2	1	8
6	7	8	9	1	2	3	4	5
4	2	1	8	3	5	9	6	7
1	6	3	2	7	4	5	8	9
8	4	2	3	5	9	6	7	1
7	9	5	1	8	6	4	3	2

66

1	7	2	6	3	5	9	8	4
9	3	6	7	4	8	5	2	1
4	5	8	1	2	9	3	6	7
8	1	7	3	5	6	2	4	9
3	4	5	9	8	2	7	1	6
6	2	9	4	1	7	8	3	5
5	6	3	8	9	1	4	7	2
2	8	1	5	7	4	6	9	3
7	9	4	2	6	3	1	5	8

67

3	5	7	2	9	6	8	1	4
1	8	9	7	4	5	3	6	2
6	2	4	8	1	3	5	7	9
7	3	5	1	6	9	4	2	8
2	6	8	4	3	7	1	9	5
4	9	1	5	2	8	7	3	6
8	1	2	6	7	4	9	5	3
5	7	3	9	8	2	6	4	1
9	4	6	3	5	1	2	8	7

68

2	4	6	1	5	3	7	8	9
8	9	1	4	6	7	2	5	3
5	3	7	8	2	9	6	1	4
9	8	5	2	3	4	1	7	6
6	1	4	7	8	5	3	9	2
3	7	2	6	9	1	8	4	5
1	5	9	3	7	6	4	2	8
4	6	8	9	1	2	5	3	7
7	2	3	5	4	8	9	6	1

69

2	6	1	3	4	9	7	8	5
9	8	7	6	5	1	2	4	3
3	5	4	7	8	2	1	9	6
8	7	3	9	2	6	4	5	1
6	1	2	4	7	5	8	3	9
5	4	9	1	3	8	6	2	7
1	3	6	2	9	4	5	7	8
4	9	5	8	6	7	3	1	2
7	2	8	5	1	3	9	6	4

70

8	6	4	5	2	7	1	9	3
3	5	1	8	9	6	7	2	4
7	2	9	1	4	3	6	5	8
6	7	8	9	5	1	4	3	2
5	4	3	6	8	2	9	7	1
1	9	2	3	7	4	8	6	5
4	1	7	2	3	9	5	8	6
2	8	6	7	1	5	3	4	9
9	3	5	4	6	8	2	1	7

71

8	6	4	9	3	7	1	5	2
9	5	2	8	6	1	4	3	7
7	3	1	2	5	4	6	8	9
3	4	7	1	2	6	8	9	5
5	1	8	3	4	9	7	2	6
2	9	6	5	7	8	3	1	4
1	7	9	6	8	2	5	4	3
6	2	3	4	1	5	9	7	8
4	8	5	7	9	3	2	6	1

72

2	4	1	9	8	3	6	5	7
6	5	8	7	1	2	3	4	9
3	9	7	6	5	4	2	8	1
4	6	9	2	3	5	1	7	8
1	2	3	8	7	9	5	6	4
8	7	5	1	4	6	9	3	2
7	1	6	5	9	8	4	2	3
5	8	4	3	2	1	7	9	6
9	3	2	4	6	7	8	1	5

73

6	4	9	8	3	1	7	5	2
5	1	8	6	7	2	4	3	9
3	7	2	9	4	5	6	8	1
7	6	3	5	9	8	1	2	4
4	8	5	1	2	7	3	9	6
9	2	1	4	6	3	5	7	8
1	3	4	7	8	9	2	6	5
8	5	7	2	1	6	9	4	3
2	9	6	3	5	4	8	1	7

74

1	3	5	4	7	6	9	8	2
2	7	4	9	8	3	5	1	6
6	8	9	2	1	5	3	4	7
7	2	6	5	9	1	8	3	4
8	4	1	3	6	7	2	5	9
9	5	3	8	4	2	6	7	1
4	9	2	7	5	8	1	6	3
5	1	7	6	3	9	4	2	8
3	6	8	1	2	4	7	9	5

75

8	7	2	4	6	9	1	3	5
1	4	3	2	5	8	9	7	6
9	6	5	1	3	7	8	2	4
4	3	7	8	9	2	6	5	1
5	9	8	6	7	1	3	4	2
2	1	6	5	4	3	7	9	8
7	2	1	3	8	5	4	6	9
6	5	9	7	1	4	2	8	3
3	8	4	9	2	6	5	1	7

76

5	6	8	2	4	9	7	1	3
3	2	7	6	5	1	4	8	9
1	9	4	8	7	3	6	2	5
2	8	6	5	1	7	9	3	4
9	7	1	4	3	6	8	5	2
4	5	3	9	8	2	1	7	6
8	1	5	3	9	4	2	6	7
7	4	2	1	6	5	3	9	8
6	3	9	7	2	8	5	4	1

77

4	3	6	8	7	9	1	2	5
8	9	1	3	5	2	4	6	7
7	2	5	4	1	6	3	8	9
5	6	4	2	3	8	7	9	1
1	8	3	7	9	5	2	4	6
9	7	2	1	6	4	5	3	8
6	1	9	5	2	3	8	7	4
3	4	7	9	8	1	6	5	2
2	5	8	6	4	7	9	1	3

78

8	5	9	4	1	6	2	7	3
4	6	3	9	7	2	1	5	8
1	7	2	8	5	3	9	4	6
5	8	7	1	2	4	6	3	9
2	1	4	3	6	9	5	8	7
3	9	6	5	8	7	4	2	1
7	3	1	6	4	5	8	9	2
6	2	5	7	9	8	3	1	4
9	4	8	2	3	1	7	6	5

79

3	8	6	4	2	5	7	1	9
1	9	7	3	8	6	5	2	4
5	4	2	7	9	1	6	8	3
7	5	8	6	4	2	3	9	1
2	1	4	9	5	3	8	7	6
9	6	3	1	7	8	4	5	2
6	3	5	8	1	9	2	4	7
8	7	1	2	3	4	9	6	5
4	2	9	5	6	7	1	3	8

80

9	6	7	3	2	1	4	5	8
1	4	5	9	7	8	3	6	2
8	3	2	4	6	5	7	9	1
2	5	6	8	3	4	9	1	7
4	7	8	2	1	9	6	3	5
3	9	1	7	5	6	2	8	4
7	2	9	1	8	3	5	4	6
6	1	3	5	4	7	8	2	9
5	8	4	6	9	2	1	7	3

81

7	2	9	5	8	3	6	1	4
1	3	6	4	2	9	5	7	8
4	8	5	1	6	7	3	2	9
9	1	7	8	3	6	4	5	2
2	4	8	7	5	1	9	6	3
5	6	3	2	9	4	7	8	1
6	9	2	3	1	5	8	4	7
8	5	4	9	7	2	1	3	6
3	7	1	6	4	8	2	9	5

82

8	3	7	5	1	6	4	2	9
9	6	1	4	3	2	5	7	8
5	4	2	7	8	9	1	3	6
2	5	8	1	6	7	9	4	3
4	7	6	9	5	3	8	1	2
1	9	3	2	4	8	7	6	5
6	2	4	8	7	5	3	9	1
7	8	9	3	2	1	6	5	4
3	1	5	6	9	4	2	8	7

83

5	6	1	7	3	2	4	9	8
3	2	4	9	6	8	5	7	1
9	7	8	1	5	4	3	6	2
8	1	5	3	7	6	9	2	4
2	3	7	4	8	9	6	1	5
4	9	6	5	2	1	7	8	3
1	4	2	6	9	3	8	5	7
7	8	9	2	4	5	1	3	6
6	5	3	8	1	7	2	4	9

84

6	2	1	3	5	9	7	4	8
5	8	4	2	7	6	9	3	1
7	9	3	8	1	4	5	6	2
9	7	8	4	2	3	1	5	6
3	6	2	1	9	5	4	8	7
4	1	5	6	8	7	3	2	9
1	5	6	7	4	2	8	9	3
8	3	9	5	6	1	2	7	4
2	4	7	9	3	8	6	1	5

85

9	2	3	1	4	5	8	7	6
1	7	8	6	9	2	4	3	5
5	6	4	3	8	7	9	1	2
3	8	1	4	5	9	6	2	7
4	5	7	8	2	6	1	9	3
2	9	6	7	3	1	5	8	4
7	3	5	9	1	4	2	6	8
8	1	2	5	6	3	7	4	9
6	4	9	2	7	8	3	5	1

86

9	1	8	3	2	6	7	5	4
3	4	7	1	9	5	6	2	8
5	2	6	7	4	8	1	3	9
6	9	3	4	8	2	5	1	7
7	8	1	5	3	9	2	4	6
2	5	4	6	7	1	9	8	3
4	6	2	9	5	3	8	7	1
8	3	9	2	1	7	4	6	5
1	7	5	8	6	4	3	9	2

87

3	9	1	4	2	8	5	6	7
6	2	4	5	1	7	3	9	8
5	7	8	9	6	3	1	4	2
7	8	9	1	5	6	2	3	4
2	6	3	7	4	9	8	5	1
4	1	5	8	3	2	9	7	6
8	3	6	2	7	5	4	1	9
9	4	7	3	8	1	6	2	5
1	5	2	6	9	4	7	8	3

88

4	9	2	6	7	1	3	5	8
8	3	7	2	9	5	6	1	4
1	5	6	3	4	8	9	7	2
3	8	9	1	6	2	7	4	5
7	4	1	9	5	3	2	8	6
2	6	5	7	8	4	1	9	3
9	2	8	4	1	6	5	3	7
5	7	3	8	2	9	4	6	1
6	1	4	5	3	7	8	2	9

89

8	3	7	5	9	6	2	1	4
1	4	5	8	3	2	9	6	7
2	6	9	1	7	4	8	5	3
6	2	1	4	5	7	3	8	9
4	9	3	6	1	8	7	2	5
7	5	8	9	2	3	6	4	1
3	7	4	2	6	5	1	9	8
5	1	2	3	8	9	4	7	6
9	8	6	7	4	1	5	3	2

90

9	2	8	4	5	3	7	6	1
6	5	3	7	9	1	4	2	8
1	7	4	2	6	8	3	9	5
2	1	5	9	7	4	6	8	3
4	3	7	6	8	5	2	1	9
8	6	9	3	1	2	5	7	4
3	9	6	1	4	7	8	5	2
5	4	1	8	2	6	9	3	7
7	8	2	5	3	9	1	4	6

91

2	4	8	3	1	9	6	7	5
6	1	3	4	5	7	9	2	8
9	5	7	6	2	8	4	3	1
5	3	9	1	7	2	8	4	6
8	7	6	9	4	5	3	1	2
4	2	1	8	6	3	7	5	9
3	8	2	7	9	1	5	6	4
1	9	4	5	3	6	2	8	7
7	6	5	2	8	4	1	9	3

92

1	7	2	5	4	8	6	9	3
9	8	5	2	6	3	7	4	1
3	4	6	9	7	1	2	5	8
6	2	7	3	1	5	4	8	9
8	5	1	7	9	4	3	2	6
4	9	3	6	8	2	5	1	7
2	6	4	1	3	9	8	7	5
5	3	9	8	2	7	1	6	4
7	1	8	4	5	6	9	3	2

93

8	7	9	5	2	4	6	1	3
4	6	1	9	3	7	8	2	5
5	3	2	6	8	1	9	4	7
1	5	6	2	7	8	4	3	9
2	4	8	3	9	6	5	7	1
7	9	3	4	1	5	2	6	8
3	2	5	1	4	9	7	8	6
9	1	7	8	6	2	3	5	4
6	8	4	7	5	3	1	9	2

94

1	9	5	7	8	4	2	3	6
2	7	6	5	1	3	4	8	9
3	4	8	2	9	6	1	5	7
5	1	7	6	2	9	8	4	3
9	2	3	8	4	7	6	1	5
6	8	4	1	3	5	9	7	2
7	6	1	4	5	2	3	9	8
4	5	9	3	6	8	7	2	1
8	3	2	9	7	1	5	6	4

95

5	7	8	6	3	1	2	9	4
4	9	3	7	2	5	1	8	6
1	2	6	8	9	4	5	7	3
2	5	9	1	7	6	3	4	8
6	8	4	3	5	2	7	1	9
3	1	7	9	4	8	6	2	5
8	6	5	2	1	9	4	3	7
9	3	1	4	6	7	8	5	2
7	4	2	5	8	3	9	6	1

96

8	5	1	6	9	3	7	2	4
6	7	9	5	4	2	1	3	8
3	4	2	7	1	8	5	9	6
1	6	5	3	8	4	9	7	2
7	3	8	9	2	6	4	1	5
9	2	4	1	5	7	8	6	3
4	1	3	8	6	9	2	5	7
5	8	7	2	3	1	6	4	9
2	9	6	4	7	5	3	8	1

97

9	6	3	4	7	8	1	2	5
8	1	2	3	5	6	9	4	7
7	5	4	9	1	2	3	6	8
1	4	5	8	9	7	2	3	6
2	7	8	6	3	1	4	5	9
6	3	9	2	4	5	7	8	1
4	8	6	1	2	9	5	7	3
3	9	7	5	6	4	8	1	2
5	2	1	7	8	3	6	9	4

98

8	2	1	7	4	9	5	6	3
3	9	7	2	5	6	4	1	8
6	4	5	3	8	1	7	9	2
4	5	9	6	3	7	8	2	1
7	3	8	4	1	2	9	5	6
2	1	6	8	9	5	3	4	7
9	6	2	5	7	8	1	3	4
5	8	3	1	2	4	6	7	9
1	7	4	9	6	3	2	8	5

99

5	4	9	8	1	3	6	7	2
1	7	8	5	2	6	9	3	4
6	3	2	9	4	7	5	1	8
9	6	5	3	7	4	8	2	1
8	1	4	6	5	2	7	9	3
3	2	7	1	8	9	4	6	5
2	5	1	7	9	8	3	4	6
4	9	6	2	3	5	1	8	7
7	8	3	4	6	1	2	5	9

100

1	5	2	7	4	8	9	3	6
6	7	8	5	3	9	2	4	1
4	9	3	2	6	1	7	8	5
7	6	4	3	8	2	5	1	9
3	8	5	1	9	6	4	7	2
2	1	9	4	7	5	3	6	8
8	3	6	9	5	4	1	2	7
9	2	7	6	1	3	8	5	4
5	4	1	8	2	7	6	9	3

101

5	3	9	6	4	1	7	2	8
7	8	1	9	2	3	4	5	6
6	2	4	7	8	5	9	3	1
8	9	5	3	7	4	6	1	2
3	7	2	1	5	6	8	9	4
1	4	6	2	9	8	3	7	5
9	5	3	8	6	2	1	4	7
4	1	8	5	3	7	2	6	9
2	6	7	4	1	9	5	8	3

102

6	5	7	3	2	1	4	8	9
8	1	3	4	9	7	6	5	2
4	2	9	8	6	5	3	1	7
2	9	6	5	8	3	1	7	4
7	4	5	2	1	9	8	6	3
3	8	1	6	7	4	9	2	5
5	3	8	7	4	6	2	9	1
9	7	2	1	3	8	5	4	6
1	6	4	9	5	2	7	3	8

103

4	6	2	8	3	5	1	7	9
5	7	8	2	9	1	6	3	4
9	3	1	7	6	4	8	5	2
1	4	3	6	7	9	5	2	8
2	9	5	3	1	8	4	6	7
7	8	6	5	4	2	3	9	1
6	1	7	9	8	3	2	4	5
8	2	9	4	5	6	7	1	3
3	5	4	1	2	7	9	8	6

104

6	7	8	5	4	3	1	9	2
1	4	9	6	7	2	5	3	8
2	3	5	8	1	9	4	6	7
4	8	1	9	2	5	3	7	6
3	5	7	1	6	8	9	2	4
9	6	2	7	3	4	8	1	5
5	2	4	3	9	6	7	8	1
7	9	6	4	8	1	2	5	3
8	1	3	2	5	7	6	4	9

105

4	8	1	2	7	5	9	3	6
3	2	5	6	8	9	4	1	7
6	7	9	3	4	1	2	8	5
7	3	6	8	1	4	5	2	9
2	5	4	9	3	6	8	7	1
1	9	8	5	2	7	6	4	3
8	6	3	7	9	2	1	5	4
5	4	7	1	6	8	3	9	2
9	1	2	4	5	3	7	6	8

106

1	6	9	4	7	3	8	2	5
3	2	7	5	8	6	4	9	1
5	4	8	2	1	9	3	7	6
8	5	2	6	4	7	1	3	9
6	1	3	9	2	5	7	4	8
7	9	4	8	3	1	6	5	2
2	7	6	1	9	4	5	8	3
4	8	5	3	6	2	9	1	7
9	3	1	7	5	8	2	6	4

107

4	5	8	7	2	9	1	6	3
2	1	6	4	8	3	5	9	7
7	3	9	5	1	6	4	8	2
5	9	3	8	4	1	7	2	6
6	8	2	3	7	5	9	1	4
1	7	4	9	6	2	3	5	8
3	2	5	6	9	4	8	7	1
9	6	7	1	3	8	2	4	5
8	4	1	2	5	7	6	3	9

108

8	9	6	3	1	5	2	7	4
2	4	5	7	8	6	9	3	1
7	1	3	2	9	4	6	8	5
4	5	8	1	7	9	3	2	6
1	3	9	8	6	2	4	5	7
6	2	7	5	4	3	1	9	8
5	8	4	9	3	1	7	6	2
9	7	1	6	2	8	5	4	3
3	6	2	4	5	7	8	1	9

109

5	6	8	4	2	3	9	1	7
7	1	4	6	8	9	3	2	5
3	2	9	5	1	7	6	4	8
8	9	2	3	5	1	7	6	4
6	4	7	8	9	2	1	5	3
1	5	3	7	6	4	8	9	2
4	7	1	2	3	6	5	8	9
2	8	6	9	7	5	4	3	1
9	3	5	1	4	8	2	7	6

110

4	6	2	8	5	7	1	9	3
5	9	8	4	1	3	6	2	7
7	1	3	9	6	2	5	4	8
6	3	4	1	7	9	2	8	5
8	5	1	6	2	4	7	3	9
2	7	9	5	3	8	4	6	1
1	2	6	3	8	5	9	7	4
9	8	5	7	4	6	3	1	2
3	4	7	2	9	1	8	5	6

111

5	9	7	6	1	8	4	3	2
6	4	8	3	2	7	9	5	1
3	2	1	9	5	4	6	8	7
7	1	3	5	8	9	2	6	4
8	5	4	2	6	1	7	9	3
2	6	9	7	4	3	8	1	5
9	8	2	4	3	5	1	7	6
1	3	6	8	7	2	5	4	9
4	7	5	1	9	6	3	2	8

112

5	8	7	4	9	1	3	6	2
6	3	4	5	7	2	9	8	1
2	1	9	8	6	3	4	7	5
7	6	5	1	4	9	8	2	3
3	9	8	6	2	7	5	1	4
4	2	1	3	5	8	6	9	7
9	4	3	2	1	6	7	5	8
8	7	2	9	3	5	1	4	6
1	5	6	7	8	4	2	3	9

113

4	6	7	1	3	2	5	9	8
5	8	1	7	4	9	6	3	2
3	9	2	8	5	6	4	1	7
9	1	8	3	6	4	2	7	5
2	7	5	9	8	1	3	6	4
6	4	3	2	7	5	1	8	9
1	2	4	6	9	8	7	5	3
8	3	6	5	2	7	9	4	1
7	5	9	4	1	3	8	2	6

114

2	6	7	9	8	1	4	3	5
4	8	1	6	5	3	2	7	9
5	9	3	4	2	7	6	1	8
1	3	6	2	9	5	8	4	7
9	4	8	3	7	6	5	2	1
7	5	2	8	1	4	9	6	3
6	1	9	5	3	2	7	8	4
3	2	5	7	4	8	1	9	6
8	7	4	1	6	9	3	5	2

115

7	2	5	6	4	1	3	9	8
3	9	1	5	7	8	6	2	4
8	6	4	2	9	3	7	1	5
4	1	9	7	6	2	8	5	3
2	5	8	3	1	4	9	6	7
6	7	3	9	8	5	1	4	2
9	8	6	4	2	7	5	3	1
5	4	7	1	3	6	2	8	9
1	3	2	8	5	9	4	7	6

116

4	1	2	7	3	9	5	6	8
8	3	5	4	1	6	7	2	9
7	9	6	5	2	8	1	4	3
1	7	8	6	9	4	3	5	2
6	4	9	3	5	2	8	1	7
5	2	3	1	8	7	6	9	4
2	5	7	8	4	1	9	3	6
3	8	4	9	6	5	2	7	1
9	6	1	2	7	3	4	8	5

117

5	7	8	4	3	1	9	6	2
3	9	6	8	7	2	4	5	1
2	4	1	5	6	9	7	3	8
9	3	2	6	8	7	5	1	4
6	5	4	1	9	3	2	8	7
1	8	7	2	5	4	3	9	6
7	1	5	9	2	8	6	4	3
4	6	3	7	1	5	8	2	9
8	2	9	3	4	6	1	7	5

118

6	1	9	8	2	5	4	7	3
3	5	7	9	4	1	8	2	6
8	2	4	7	6	3	9	5	1
1	6	8	5	9	7	2	3	4
5	7	3	4	8	2	1	6	9
4	9	2	1	3	6	7	8	5
9	4	6	2	5	8	3	1	7
7	8	5	3	1	4	6	9	2
2	3	1	6	7	9	5	4	8

119

5	8	4	9	1	3	2	6	7
3	7	6	4	5	2	8	1	9
1	9	2	6	7	8	3	4	5
4	2	5	8	6	1	9	7	3
9	1	7	3	2	4	5	8	6
8	6	3	5	9	7	4	2	1
2	4	1	7	3	9	6	5	8
7	5	9	2	8	6	1	3	4
6	3	8	1	4	5	7	9	2

120

2	8	5	7	1	3	4	6	9
3	6	4	8	2	9	1	7	5
9	7	1	6	4	5	8	3	2
4	1	2	5	8	6	3	9	7
6	5	3	9	7	1	2	4	8
8	9	7	4	3	2	6	5	1
7	3	8	2	5	4	9	1	6
5	4	6	1	9	8	7	2	3
1	2	9	3	6	7	5	8	4

121

5	9	6	8	7	3	2	1	4
8	7	1	4	9	2	6	5	3
4	3	2	6	5	1	7	8	9
7	1	5	2	4	9	8	3	6
2	6	3	7	1	8	4	9	5
9	4	8	5	3	6	1	7	2
6	8	9	3	2	7	5	4	1
3	2	4	1	8	5	9	6	7
1	5	7	9	6	4	3	2	8

122

7	3	5	6	1	8	9	4	2
8	4	6	7	9	2	1	5	3
2	1	9	3	5	4	7	8	6
5	9	4	8	3	6	2	7	1
6	8	3	1	2	7	4	9	5
1	7	2	5	4	9	6	3	8
9	2	8	4	6	5	3	1	7
4	5	1	2	7	3	8	6	9
3	6	7	9	8	1	5	2	4

123

9	3	5	2	6	8	4	1	7
8	4	7	1	9	3	6	5	2
2	6	1	7	4	5	9	8	3
3	8	9	5	1	4	7	2	6
7	1	2	9	8	6	5	3	4
6	5	4	3	7	2	1	9	8
4	2	6	8	5	9	3	7	1
5	7	8	4	3	1	2	6	9
1	9	3	6	2	7	8	4	5

124

6	3	4	2	8	9	5	1	7
1	5	7	4	3	6	9	8	2
8	2	9	1	5	7	6	3	4
5	4	2	6	9	1	3	7	8
7	9	1	8	4	3	2	5	6
3	6	8	7	2	5	1	4	9
4	1	6	3	7	2	8	9	5
2	7	5	9	1	8	4	6	3
9	8	3	5	6	4	7	2	1

125

1	9	3	4	6	5	2	7	8
5	8	4	3	7	2	6	9	1
7	2	6	1	8	9	4	5	3
9	5	2	8	3	1	7	6	4
3	6	7	5	9	4	8	1	2
8	4	1	6	2	7	9	3	5
6	1	9	2	5	8	3	4	7
4	7	8	9	1	3	5	2	6
2	3	5	7	4	6	1	8	9

126

6	3	8	9	2	7	5	1	4
9	4	2	1	5	8	3	7	6
5	7	1	4	3	6	8	9	2
1	5	4	6	7	3	2	8	9
8	2	6	5	1	9	7	4	3
7	9	3	8	4	2	1	6	5
2	1	7	3	6	4	9	5	8
4	8	5	2	9	1	6	3	7
3	6	9	7	8	5	4	2	1

127

8	2	3	7	5	9	4	1	6
6	7	4	2	8	1	5	3	9
5	9	1	3	4	6	7	8	2
9	5	2	8	7	3	6	4	1
3	6	8	5	1	4	2	9	7
1	4	7	9	6	2	8	5	3
4	1	9	6	2	5	3	7	8
2	8	5	1	3	7	9	6	4
7	3	6	4	9	8	1	2	5

128

1	5	7	2	4	6	3	9	8
3	8	6	7	5	9	2	1	4
9	4	2	3	1	8	5	6	7
5	6	8	4	9	7	1	2	3
4	9	1	8	2	3	6	7	5
2	7	3	1	6	5	4	8	9
8	2	5	9	3	1	7	4	6
7	3	4	6	8	2	9	5	1
6	1	9	5	7	4	8	3	2

129

1	2	8	3	5	6	7	4	9
6	7	5	8	9	4	2	3	1
4	3	9	7	1	2	6	8	5
5	4	7	9	6	3	8	1	2
2	8	3	1	4	7	9	5	6
9	6	1	2	8	5	4	7	3
7	9	4	5	2	1	3	6	8
3	1	2	6	7	8	5	9	4
8	5	6	4	3	9	1	2	7

130

6	7	3	4	1	8	5	9	2
5	1	4	7	2	9	3	6	8
9	8	2	3	6	5	4	7	1
7	9	8	2	3	1	6	5	4
4	5	1	8	7	6	9	2	3
3	2	6	5	9	4	1	8	7
8	4	9	1	5	7	2	3	6
1	3	5	6	8	2	7	4	9
2	6	7	9	4	3	8	1	5

131

5	8	2	6	1	4	3	9	7
1	3	9	2	8	7	5	4	6
4	7	6	9	5	3	2	8	1
8	6	1	3	9	5	7	2	4
7	4	3	8	6	2	9	1	5
2	9	5	7	4	1	8	6	3
9	1	8	5	7	6	4	3	2
6	2	7	4	3	8	1	5	9
3	5	4	1	2	9	6	7	8

132

8	2	3	6	4	7	1	9	5
4	7	9	1	3	5	6	8	2
1	5	6	9	8	2	4	7	3
6	1	5	8	9	3	2	4	7
7	3	2	5	1	4	9	6	8
9	4	8	2	7	6	5	3	1
3	6	4	7	2	1	8	5	9
5	8	1	3	6	9	7	2	4
2	9	7	4	5	8	3	1	6

133

1	6	4	8	7	3	2	9	5
7	5	3	2	4	9	6	8	1
8	2	9	1	6	5	4	7	3
5	1	8	7	9	6	3	4	2
2	4	7	5	3	8	1	6	9
9	3	6	4	2	1	8	5	7
4	9	5	3	8	2	7	1	6
3	7	1	6	5	4	9	2	8
6	8	2	9	1	7	5	3	4

134

9	4	8	6	5	7	1	2	3
7	5	6	1	3	2	9	4	8
1	3	2	4	8	9	7	6	5
2	7	4	5	9	6	8	3	1
5	6	9	8	1	3	4	7	2
8	1	3	7	2	4	5	9	6
4	8	7	3	6	5	2	1	9
6	2	1	9	4	8	3	5	7
3	9	5	2	7	1	6	8	4

135

2	4	7	1	8	9	5	3	6
1	9	6	2	3	5	8	7	4
8	5	3	4	6	7	1	9	2
3	1	5	8	4	6	7	2	9
4	8	2	9	7	1	3	6	5
7	6	9	5	2	3	4	8	1
9	7	1	6	5	8	2	4	3
5	3	4	7	9	2	6	1	8
6	2	8	3	1	4	9	5	7

136

3	4	7	6	2	1	9	8	5
9	2	1	3	5	8	6	4	7
6	5	8	7	4	9	1	3	2
5	8	2	1	7	6	4	9	3
7	3	6	5	9	4	2	1	8
4	1	9	2	8	3	7	5	6
1	9	5	8	6	7	3	2	4
8	6	4	9	3	2	5	7	1
2	7	3	4	1	5	8	6	9

137

2	7	6	5	8	1	4	9	3
3	9	5	4	6	7	2	1	8
4	8	1	3	2	9	7	6	5
8	6	3	7	4	5	9	2	1
1	5	2	6	9	8	3	4	7
9	4	7	2	1	3	8	5	6
5	3	4	9	7	6	1	8	2
6	2	8	1	3	4	5	7	9
7	1	9	8	5	2	6	3	4

138

9	3	6	5	4	2	7	1	8
7	8	4	6	9	1	2	3	5
5	2	1	3	8	7	4	9	6
1	5	7	8	3	9	6	4	2
2	6	9	4	1	5	8	7	3
3	4	8	2	7	6	9	5	1
6	1	2	7	5	4	3	8	9
4	9	3	1	6	8	5	2	7
8	7	5	9	2	3	1	6	4

139

9	8	6	4	1	7	3	5	2
7	4	2	8	5	3	1	6	9
5	1	3	2	9	6	4	8	7
4	7	1	6	2	5	8	9	3
3	9	5	1	8	4	2	7	6
6	2	8	3	7	9	5	4	1
1	3	9	5	6	8	7	2	4
8	6	4	7	3	2	9	1	5
2	5	7	9	4	1	6	3	8

140

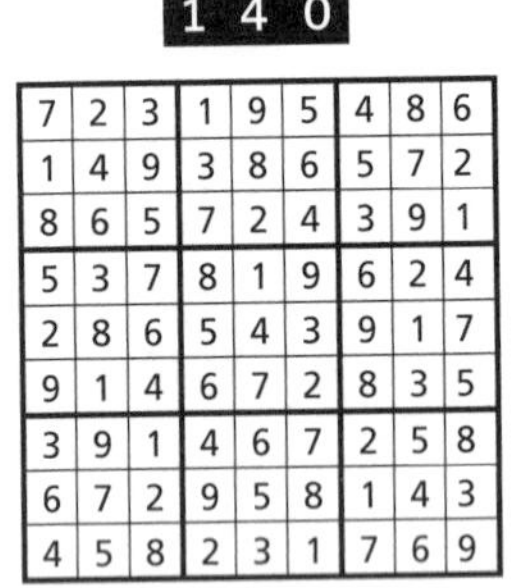

7	2	3	1	9	5	4	8	6
1	4	9	3	8	6	5	7	2
8	6	5	7	2	4	3	9	1
5	3	7	8	1	9	6	2	4
2	8	6	5	4	3	9	1	7
9	1	4	6	7	2	8	3	5
3	9	1	4	6	7	2	5	8
6	7	2	9	5	8	1	4	3
4	5	8	2	3	1	7	6	9

141

3	6	4	9	5	8	1	7	2
5	8	1	3	2	7	9	6	4
7	2	9	1	4	6	8	5	3
9	5	2	4	6	3	7	1	8
1	4	7	8	9	5	2	3	6
6	3	8	2	7	1	5	4	9
8	1	5	6	3	9	4	2	7
4	7	6	5	8	2	3	9	1
2	9	3	7	1	4	6	8	5

142

2	5	1	9	3	6	4	8	7
9	6	8	1	7	4	2	3	5
3	4	7	5	8	2	1	9	6
5	8	6	3	2	1	7	4	9
1	7	3	4	6	9	5	2	8
4	2	9	7	5	8	6	1	3
6	1	2	8	9	5	3	7	4
8	3	4	6	1	7	9	5	2
7	9	5	2	4	3	8	6	1

143

5	9	7	3	2	6	4	1	8
2	1	4	7	8	5	3	9	6
6	3	8	9	4	1	7	2	5
3	8	1	2	5	7	9	6	4
4	7	2	1	6	9	5	8	3
9	6	5	8	3	4	2	7	1
1	4	3	6	9	2	8	5	7
7	5	9	4	1	8	6	3	2
8	2	6	5	7	3	1	4	9

144

4	6	5	1	2	7	3	9	8
1	2	9	5	3	8	6	4	7
3	7	8	9	4	6	1	2	5
2	5	7	3	6	1	9	8	4
9	8	3	2	5	4	7	1	6
6	1	4	8	7	9	2	5	3
5	9	1	6	8	3	4	7	2
8	4	6	7	9	2	5	3	1
7	3	2	4	1	5	8	6	9

145

8	1	5	3	4	2	9	7	6
4	3	6	9	5	7	8	2	1
2	7	9	8	1	6	3	5	4
5	4	7	6	3	1	2	8	9
1	8	2	7	9	4	5	6	3
6	9	3	5	2	8	4	1	7
3	2	8	1	6	9	7	4	5
9	6	4	2	7	5	1	3	8
7	5	1	4	8	3	6	9	2

146

7	5	9	2	4	6	8	3	1
8	3	4	7	5	1	9	6	2
2	6	1	3	8	9	7	5	4
9	2	3	6	1	4	5	7	8
4	1	6	5	7	8	2	9	3
5	7	8	9	2	3	4	1	6
1	8	5	4	6	7	3	2	9
6	9	7	8	3	2	1	4	5
3	4	2	1	9	5	6	8	7

147

5	1	4	9	7	6	8	3	2
6	2	7	4	8	3	1	9	5
8	3	9	2	1	5	7	4	6
9	5	8	6	2	7	4	1	3
4	6	1	3	9	8	2	5	7
3	7	2	5	4	1	6	8	9
1	8	6	7	5	9	3	2	4
7	4	5	1	3	2	9	6	8
2	9	3	8	6	4	5	7	1

148

8	5	4	7	9	6	2	3	1
7	3	1	4	8	2	9	6	5
9	6	2	3	5	1	7	4	8
4	7	6	5	2	9	8	1	3
2	8	5	6	1	3	4	9	7
1	9	3	8	7	4	5	2	6
6	4	7	9	3	8	1	5	2
3	1	8	2	4	5	6	7	9
5	2	9	1	6	7	3	8	4

149

3	5	7	2	1	4	6	8	9
8	2	4	9	7	6	5	1	3
6	9	1	3	5	8	4	7	2
2	8	9	7	3	5	1	4	6
5	4	6	8	2	1	3	9	7
7	1	3	4	6	9	8	2	5
4	6	2	1	9	3	7	5	8
1	7	5	6	8	2	9	3	4
9	3	8	5	4	7	2	6	1

150

5	3	4	1	8	2	6	7	9
7	9	6	5	4	3	2	1	8
1	2	8	7	9	6	5	4	3
3	1	9	8	5	7	4	6	2
6	4	2	9	3	1	8	5	7
8	7	5	2	6	4	3	9	1
2	8	7	4	1	5	9	3	6
9	5	3	6	7	8	1	2	4
4	6	1	3	2	9	7	8	5

151

1	6	8	5	3	9	2	7	4
3	2	7	6	1	4	9	8	5
9	4	5	7	8	2	6	1	3
4	5	6	9	7	1	3	2	8
7	1	2	3	5	8	4	9	6
8	3	9	4	2	6	7	5	1
6	7	4	1	9	5	8	3	2
2	9	1	8	6	3	5	4	7
5	8	3	2	4	7	1	6	9

152

4	1	3	6	2	7	5	9	8
6	5	8	9	3	1	2	4	7
9	2	7	8	5	4	3	1	6
7	9	2	1	6	8	4	5	3
8	6	1	5	4	3	7	2	9
5	3	4	2	7	9	8	6	1
3	8	6	4	9	2	1	7	5
1	4	5	7	8	6	9	3	2
2	7	9	3	1	5	6	8	4

153

2	1	9	4	3	6	8	5	7
8	3	7	9	1	5	6	2	4
5	6	4	2	8	7	3	9	1
6	2	5	3	9	4	1	7	8
9	8	1	7	6	2	4	3	5
4	7	3	8	5	1	9	6	2
7	4	8	6	2	9	5	1	3
3	5	6	1	7	8	2	4	9
1	9	2	5	4	3	7	8	6

154

9	8	4	5	7	1	6	3	2
5	3	1	6	8	2	4	7	9
2	6	7	3	4	9	1	5	8
3	1	9	4	2	6	5	8	7
6	4	5	8	9	7	3	2	1
7	2	8	1	5	3	9	6	4
1	5	2	7	6	4	8	9	3
8	9	3	2	1	5	7	4	6
4	7	6	9	3	8	2	1	5

155

8	9	5	3	4	1	2	6	7
7	2	3	8	6	5	1	4	9
6	1	4	2	7	9	5	8	3
2	7	6	1	8	3	9	5	4
5	8	1	9	2	4	3	7	6
3	4	9	7	5	6	8	1	2
1	3	8	4	9	7	6	2	5
9	5	7	6	1	2	4	3	8
4	6	2	5	3	8	7	9	1

156

3	9	8	2	4	5	7	6	1
7	2	1	6	9	8	5	4	3
6	5	4	7	3	1	9	2	8
9	3	6	5	8	7	2	1	4
5	8	2	9	1	4	6	3	7
1	4	7	3	2	6	8	9	5
4	1	5	8	6	2	3	7	9
2	7	9	1	5	3	4	8	6
8	6	3	4	7	9	1	5	2

157

4	3	9	8	7	6	5	1	2
2	7	1	9	4	5	6	8	3
5	6	8	3	1	2	9	4	7
9	5	6	1	2	4	7	3	8
8	1	4	7	6	3	2	9	5
7	2	3	5	9	8	4	6	1
6	9	5	2	3	1	8	7	4
1	8	7	4	5	9	3	2	6
3	4	2	6	8	7	1	5	9

158

9	1	6	3	4	7	2	5	8
2	8	3	5	9	6	1	7	4
7	4	5	2	1	8	3	6	9
5	3	2	8	6	4	9	1	7
1	7	8	9	5	2	4	3	6
4	6	9	7	3	1	8	2	5
8	2	4	1	7	5	6	9	3
3	5	1	6	8	9	7	4	2
6	9	7	4	2	3	5	8	1

159

7	3	6	8	9	1	4	5	2
8	2	4	5	3	7	6	9	1
1	9	5	2	4	6	3	7	8
9	5	7	1	6	3	8	2	4
6	1	8	4	5	2	9	3	7
3	4	2	9	7	8	5	1	6
5	8	1	3	2	4	7	6	9
2	7	9	6	8	5	1	4	3
4	6	3	7	1	9	2	8	5

160

2	6	5	8	4	3	9	1	7
9	4	8	1	2	7	3	5	6
7	3	1	9	6	5	8	2	4
3	8	9	4	5	2	6	7	1
5	7	2	6	9	1	4	3	8
6	1	4	3	7	8	5	9	2
4	9	7	5	1	6	2	8	3
1	5	3	2	8	4	7	6	9
8	2	6	7	3	9	1	4	5

161

2	7	6	5	4	3	1	8	9
8	1	5	9	7	6	3	4	2
9	3	4	8	2	1	6	7	5
5	4	8	6	1	2	7	9	3
6	9	3	7	8	4	5	2	1
1	2	7	3	9	5	4	6	8
4	5	2	1	6	8	9	3	7
7	6	1	2	3	9	8	5	4
3	8	9	4	5	7	2	1	6

162

1	3	2	8	4	5	7	9	6
5	6	4	1	7	9	3	2	8
8	9	7	2	3	6	4	5	1
2	5	1	9	8	4	6	3	7
9	4	6	3	1	7	2	8	5
3	7	8	5	6	2	9	1	4
6	8	3	4	2	1	5	7	9
7	2	5	6	9	8	1	4	3
4	1	9	7	5	3	8	6	2

163

4	2	5	1	6	9	8	3	7
8	3	7	4	5	2	9	1	6
9	6	1	7	3	8	5	4	2
2	9	8	5	7	3	1	6	4
5	4	6	9	2	1	7	8	3
1	7	3	6	8	4	2	9	5
3	8	9	2	4	5	6	7	1
6	5	4	8	1	7	3	2	9
7	1	2	3	9	6	4	5	8

164

8	4	5	3	7	1	6	9	2
3	1	2	8	6	9	4	7	5
7	6	9	5	4	2	8	3	1
2	7	4	9	8	6	1	5	3
6	5	1	4	2	3	9	8	7
9	3	8	1	5	7	2	6	4
4	8	6	2	3	5	7	1	9
1	2	3	7	9	8	5	4	6
5	9	7	6	1	4	3	2	8

165

4	7	5	2	1	8	9	6	3
6	8	9	7	4	3	2	5	1
3	2	1	6	9	5	7	8	4
5	1	3	9	8	6	4	7	2
8	9	2	4	5	7	3	1	6
7	6	4	3	2	1	5	9	8
1	3	6	5	7	4	8	2	9
9	4	7	8	6	2	1	3	5
2	5	8	1	3	9	6	4	7

166

2	3	1	7	9	5	8	6	4
8	4	7	2	3	6	5	1	9
9	5	6	1	4	8	2	3	7
5	2	3	9	1	4	7	8	6
1	9	8	3	6	7	4	2	5
6	7	4	5	8	2	1	9	3
7	8	5	6	2	9	3	4	1
4	1	9	8	5	3	6	7	2
3	6	2	4	7	1	9	5	8

167

4	8	2	6	1	9	5	3	7
1	5	9	8	3	7	2	4	6
3	6	7	4	5	2	8	1	9
8	7	3	1	6	4	9	5	2
9	2	5	3	7	8	4	6	1
6	4	1	9	2	5	3	7	8
2	1	6	5	8	3	7	9	4
5	9	8	7	4	1	6	2	3
7	3	4	2	9	6	1	8	5

168

3	5	1	6	8	9	7	2	4
2	9	6	4	1	7	5	8	3
8	4	7	2	5	3	6	9	1
9	6	5	7	2	4	1	3	8
1	7	3	8	9	6	4	5	2
4	2	8	1	3	5	9	7	6
6	8	4	9	7	2	3	1	5
7	3	2	5	4	1	8	6	9
5	1	9	3	6	8	2	4	7

169

5	7	6	8	2	9	4	1	3
4	2	8	7	3	1	6	9	5
3	9	1	6	4	5	7	2	8
1	5	7	9	8	6	3	4	2
2	3	9	5	7	4	1	8	6
8	6	4	2	1	3	9	5	7
7	4	2	1	6	8	5	3	9
9	8	3	4	5	7	2	6	1
6	1	5	3	9	2	8	7	4

170

2	7	9	8	3	1	6	4	5
5	8	4	7	9	6	1	2	3
1	3	6	4	2	5	8	7	9
7	5	8	2	1	3	4	9	6
9	4	3	6	8	7	2	5	1
6	2	1	9	5	4	7	3	8
3	9	7	1	6	2	5	8	4
8	6	2	5	4	9	3	1	7
4	1	5	3	7	8	9	6	2

171

9	8	1	2	4	6	7	5	3
3	2	4	1	5	7	8	6	9
6	7	5	8	3	9	2	4	1
1	5	2	9	6	3	4	7	8
4	9	7	5	2	8	1	3	6
8	6	3	7	1	4	5	9	2
5	1	9	3	7	2	6	8	4
2	4	8	6	9	5	3	1	7
7	3	6	4	8	1	9	2	5

172

3	6	2	5	9	8	4	1	7
4	8	9	7	2	1	5	3	6
1	5	7	6	4	3	2	9	8
5	2	8	4	7	9	1	6	3
6	1	4	3	8	5	9	7	2
7	9	3	1	6	2	8	4	5
9	7	5	2	1	6	3	8	4
2	4	1	8	3	7	6	5	9
8	3	6	9	5	4	7	2	1

173

2	1	6	4	7	3	5	8	9
7	5	9	1	6	8	2	4	3
3	8	4	2	5	9	6	1	7
5	9	1	7	8	2	4	3	6
4	2	7	5	3	6	1	9	8
6	3	8	9	1	4	7	2	5
9	6	5	3	2	1	8	7	4
1	7	3	8	4	5	9	6	2
8	4	2	6	9	7	3	5	1

174

6	1	7	8	2	4	5	3	9
5	2	8	9	3	1	4	7	6
3	4	9	6	7	5	8	1	2
2	6	3	1	9	8	7	5	4
1	9	4	3	5	7	6	2	8
8	7	5	2	4	6	1	9	3
4	3	6	7	1	9	2	8	5
7	8	2	5	6	3	9	4	1
9	5	1	4	8	2	3	6	7

175

6	4	5	2	9	3	7	8	1
9	8	1	4	7	5	3	6	2
2	7	3	6	8	1	4	5	9
4	6	7	9	3	2	5	1	8
8	1	9	7	5	4	2	3	6
5	3	2	1	6	8	9	4	7
1	2	8	5	4	7	6	9	3
3	9	4	8	2	6	1	7	5
7	5	6	3	1	9	8	2	4

176

9	1	5	3	8	2	4	7	6
7	3	4	9	5	6	8	1	2
8	6	2	7	1	4	9	5	3
3	9	6	1	7	5	2	8	4
2	4	1	6	9	8	5	3	7
5	7	8	2	4	3	6	9	1
1	5	9	4	6	7	3	2	8
4	2	7	8	3	9	1	6	5
6	8	3	5	2	1	7	4	9

177

6	7	8	5	9	4	2	1	3
2	4	5	3	7	1	9	6	8
1	3	9	8	6	2	5	7	4
5	1	4	7	2	8	6	3	9
7	2	3	6	4	9	8	5	1
9	8	6	1	3	5	4	2	7
3	6	2	4	8	7	1	9	5
4	9	1	2	5	3	7	8	6
8	5	7	9	1	6	3	4	2

178

7	8	4	2	5	1	9	6	3
2	6	1	4	9	3	7	5	8
3	5	9	8	6	7	4	1	2
6	9	2	5	4	8	1	3	7
8	7	5	3	1	9	2	4	6
4	1	3	6	7	2	5	8	9
5	4	8	7	2	6	3	9	1
1	3	7	9	8	5	6	2	4
9	2	6	1	3	4	8	7	5

179

5	7	1	8	9	6	2	3	4
6	3	8	1	4	2	5	9	7
4	9	2	3	7	5	8	1	6
7	5	9	2	6	3	4	8	1
2	1	4	7	5	8	9	6	3
3	8	6	4	1	9	7	5	2
8	6	3	9	2	4	1	7	5
9	2	7	5	3	1	6	4	8
1	4	5	6	8	7	3	2	9

180

1	2	7	3	6	4	9	5	8
3	9	5	7	1	8	4	2	6
4	8	6	9	2	5	1	7	3
2	7	3	6	8	9	5	1	4
5	1	8	2	4	7	6	3	9
9	6	4	1	5	3	2	8	7
7	5	9	4	3	2	8	6	1
8	4	1	5	7	6	3	9	2
6	3	2	8	9	1	7	4	5

181

2	8	6	3	5	7	9	1	4
3	7	5	1	9	4	6	8	2
4	1	9	8	6	2	7	3	5
6	2	8	7	3	9	5	4	1
5	3	7	2	4	1	8	6	9
1	9	4	6	8	5	2	7	3
9	5	3	4	7	6	1	2	8
7	4	1	9	2	8	3	5	6
8	6	2	5	1	3	4	9	7

182

3	5	9	4	7	8	2	6	1
1	4	7	6	2	5	8	3	9
6	8	2	9	3	1	5	4	7
8	2	6	3	9	7	1	5	4
9	3	5	2	1	4	6	7	8
7	1	4	8	5	6	9	2	3
2	9	8	5	4	3	7	1	6
4	6	1	7	8	2	3	9	5
5	7	3	1	6	9	4	8	2

183

3	4	7	2	5	8	9	1	6
8	1	6	9	3	7	2	4	5
9	5	2	6	4	1	8	3	7
7	6	4	1	8	3	5	9	2
5	8	1	7	9	2	3	6	4
2	3	9	4	6	5	7	8	1
4	9	3	5	2	6	1	7	8
1	2	8	3	7	4	6	5	9
6	7	5	8	1	9	4	2	3

184

3	2	9	5	7	6	8	1	4
5	1	7	2	4	8	6	3	9
8	4	6	3	1	9	7	5	2
1	3	4	8	5	2	9	7	6
6	8	2	1	9	7	3	4	5
9	7	5	6	3	4	2	8	1
2	6	1	7	8	5	4	9	3
4	5	8	9	2	3	1	6	7
7	9	3	4	6	1	5	2	8

185

7	1	5	3	9	8	6	2	4
3	4	6	5	7	2	9	8	1
9	8	2	4	6	1	3	5	7
6	9	1	2	4	3	5	7	8
5	2	4	9	8	7	1	3	6
8	7	3	6	1	5	4	9	2
1	5	8	7	3	6	2	4	9
4	3	7	1	2	9	8	6	5
2	6	9	8	5	4	7	1	3

186

5	8	3	6	9	4	2	1	7
6	7	4	2	5	1	3	9	8
2	9	1	8	3	7	6	4	5
4	1	9	5	6	8	7	3	2
7	2	5	3	4	9	8	6	1
3	6	8	1	7	2	4	5	9
9	4	6	7	8	5	1	2	3
8	3	2	9	1	6	5	7	4
1	5	7	4	2	3	9	8	6

187

8	5	3	9	4	2	1	6	7
1	4	9	8	7	6	3	2	5
7	2	6	3	5	1	4	8	9
2	8	4	6	1	9	7	5	3
5	9	1	2	3	7	6	4	8
6	3	7	4	8	5	2	9	1
9	6	8	1	2	3	5	7	4
4	1	5	7	6	8	9	3	2
3	7	2	5	9	4	8	1	6

188

9	6	3	5	7	2	4	8	1
5	2	1	6	4	8	7	9	3
8	7	4	3	1	9	5	6	2
4	9	2	8	3	7	1	5	6
3	1	6	2	5	4	8	7	9
7	5	8	9	6	1	3	2	4
2	8	7	1	9	3	6	4	5
1	4	5	7	2	6	9	3	8
6	3	9	4	8	5	2	1	7

189

3	4	2	1	9	7	6	5	8
7	9	8	3	6	5	2	1	4
6	1	5	4	2	8	9	3	7
1	5	7	8	4	2	3	6	9
4	8	9	6	3	1	5	7	2
2	6	3	7	5	9	8	4	1
5	2	4	9	7	6	1	8	3
8	3	6	2	1	4	7	9	5
9	7	1	5	8	3	4	2	6

190

7	1	8	4	3	6	9	5	2
9	4	5	2	7	8	3	1	6
2	3	6	1	5	9	7	4	8
8	7	3	6	9	1	5	2	4
4	6	1	3	2	5	8	9	7
5	2	9	7	8	4	6	3	1
1	5	7	8	4	3	2	6	9
6	9	2	5	1	7	4	8	3
3	8	4	9	6	2	1	7	5

191

6	7	8	5	2	9	4	1	3
2	4	9	8	1	3	5	6	7
3	1	5	6	4	7	2	9	8
4	9	6	7	5	1	8	3	2
7	3	1	4	8	2	9	5	6
8	5	2	3	9	6	1	7	4
5	6	4	9	3	8	7	2	1
1	8	7	2	6	5	3	4	9
9	2	3	1	7	4	6	8	5

192

3	9	5	1	7	6	8	2	4
6	8	1	2	5	4	7	9	3
2	4	7	9	8	3	6	1	5
4	2	6	8	3	1	9	5	7
8	5	3	7	6	9	1	4	2
7	1	9	5	4	2	3	6	8
9	3	2	4	1	8	5	7	6
5	6	4	3	9	7	2	8	1
1	7	8	6	2	5	4	3	9

193

3	8	6	2	5	4	7	9	1
4	9	1	7	6	8	3	5	2
2	7	5	9	3	1	4	6	8
8	2	3	6	1	9	5	4	7
9	1	7	5	4	2	6	8	3
6	5	4	8	7	3	1	2	9
5	6	2	1	9	7	8	3	4
1	3	9	4	8	6	2	7	5
7	4	8	3	2	5	9	1	6

194

7	2	3	5	1	6	9	4	8
5	6	8	2	4	9	1	3	7
9	1	4	7	8	3	6	2	5
6	7	2	8	9	5	4	1	3
1	3	5	6	7	4	2	8	9
4	8	9	3	2	1	7	5	6
3	5	1	9	6	2	8	7	4
2	9	7	4	5	8	3	6	1
8	4	6	1	3	7	5	9	2

195

6	7	2	3	9	4	1	8	5
8	4	1	6	5	7	2	9	3
5	9	3	1	2	8	4	6	7
1	5	6	8	7	3	9	2	4
2	8	7	4	1	9	5	3	6
4	3	9	5	6	2	8	7	1
3	1	8	9	4	6	7	5	2
7	6	5	2	8	1	3	4	9
9	2	4	7	3	5	6	1	8

196

1	3	5	6	2	4	9	7	8
7	2	9	3	1	8	5	4	6
8	6	4	9	5	7	2	3	1
6	9	2	8	4	5	7	1	3
3	5	1	7	6	9	4	8	2
4	8	7	1	3	2	6	9	5
5	4	3	2	7	1	8	6	9
2	1	8	4	9	6	3	5	7
9	7	6	5	8	3	1	2	4

197

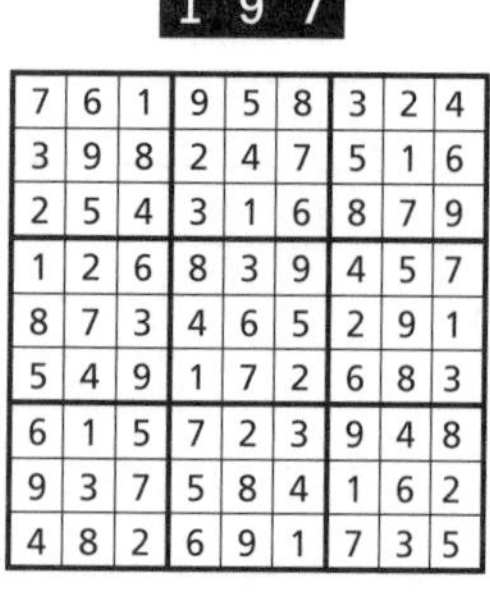

7	6	1	9	5	8	3	2	4
3	9	8	2	4	7	5	1	6
2	5	4	3	1	6	8	7	9
1	2	6	8	3	9	4	5	7
8	7	3	4	6	5	2	9	1
5	4	9	1	7	2	6	8	3
6	1	5	7	2	3	9	4	8
9	3	7	5	8	4	1	6	2
4	8	2	6	9	1	7	3	5

198

2	8	6	5	1	7	9	4	3
1	3	5	8	9	4	2	6	7
9	7	4	3	2	6	5	8	1
5	4	3	2	7	9	6	1	8
8	9	7	6	3	1	4	2	5
6	1	2	4	5	8	3	7	9
3	6	1	9	8	2	7	5	4
7	2	9	1	4	5	8	3	6
4	5	8	7	6	3	1	9	2

199

5	7	2	8	4	3	6	9	1
8	4	6	1	7	9	5	3	2
3	1	9	5	2	6	7	8	4
4	6	5	3	9	7	2	1	8
7	9	1	4	8	2	3	6	5
2	8	3	6	5	1	9	4	7
9	2	8	7	6	4	1	5	3
6	3	4	2	1	5	8	7	9
1	5	7	9	3	8	4	2	6

200

1	2	3	7	4	6	9	5	8
4	9	7	3	5	8	1	2	6
6	8	5	9	2	1	3	4	7
7	4	9	2	6	3	5	8	1
2	3	6	8	1	5	7	9	4
5	1	8	4	7	9	6	3	2
9	5	1	6	8	2	4	7	3
3	7	2	1	9	4	8	6	5
8	6	4	5	3	7	2	1	9

201

8	9	1	6	3	2	5	4	7
4	6	7	9	1	5	2	3	8
5	2	3	4	7	8	1	6	9
9	1	8	3	5	6	7	2	4
2	5	4	8	9	7	3	1	6
3	7	6	1	2	4	9	8	5
1	4	5	7	6	3	8	9	2
6	3	2	5	8	9	4	7	1
7	8	9	2	4	1	6	5	3

202

8	1	9	7	4	5	6	2	3
6	5	3	2	8	9	1	7	4
2	7	4	3	1	6	8	5	9
4	6	7	9	3	2	5	8	1
3	2	5	1	7	8	4	9	6
1	9	8	6	5	4	7	3	2
7	8	6	4	2	3	9	1	5
5	4	2	8	9	1	3	6	7
9	3	1	5	6	7	2	4	8

203

4	9	8	3	6	2	7	1	5
6	5	3	9	1	7	2	4	8
7	1	2	4	5	8	3	6	9
2	3	9	1	7	4	5	8	6
1	6	7	8	2	5	4	9	3
5	8	4	6	3	9	1	2	7
3	7	1	2	9	6	8	5	4
9	4	5	7	8	1	6	3	2
8	2	6	5	4	3	9	7	1

204

5	6	2	4	3	1	8	7	9
7	4	3	6	9	8	2	5	1
9	8	1	2	5	7	6	3	4
8	1	9	7	2	4	3	6	5
2	7	5	9	6	3	1	4	8
4	3	6	1	8	5	7	9	2
3	2	7	8	4	9	5	1	6
1	9	8	5	7	6	4	2	3
6	5	4	3	1	2	9	8	7

205

2	6	1	4	9	5	3	8	7
9	5	8	7	1	3	6	4	2
3	4	7	6	8	2	1	9	5
5	9	4	3	2	1	8	7	6
8	7	2	5	4	6	9	1	3
1	3	6	8	7	9	2	5	4
4	8	9	2	3	7	5	6	1
6	1	3	9	5	4	7	2	8
7	2	5	1	6	8	4	3	9

206

9	2	3	5	7	1	4	6	8
1	4	6	3	8	9	5	2	7
7	5	8	4	6	2	1	3	9
4	3	9	2	1	7	6	8	5
5	6	1	8	4	3	7	9	2
2	8	7	9	5	6	3	1	4
3	7	2	1	9	4	8	5	6
6	9	5	7	3	8	2	4	1
8	1	4	6	2	5	9	7	3

207

8	1	6	2	9	5	3	4	7
5	2	3	6	4	7	1	9	8
7	9	4	8	1	3	2	6	5
2	7	1	9	5	6	4	8	3
3	4	5	1	7	8	9	2	6
6	8	9	4	3	2	7	5	1
9	5	2	7	8	1	6	3	4
1	6	8	3	2	4	5	7	9
4	3	7	5	6	9	8	1	2

208

2	4	3	9	5	6	7	1	8
9	7	5	3	8	1	6	2	4
6	8	1	4	2	7	5	3	9
1	3	9	6	7	4	2	8	5
7	2	8	1	9	5	4	6	3
4	5	6	2	3	8	9	7	1
8	6	2	5	1	9	3	4	7
3	9	7	8	4	2	1	5	6
5	1	4	7	6	3	8	9	2

209

7	5	1	3	4	9	6	8	2
8	3	6	7	2	1	9	4	5
2	9	4	8	5	6	3	1	7
4	6	8	1	7	5	2	9	3
9	2	3	6	8	4	7	5	1
5	1	7	9	3	2	8	6	4
1	4	9	2	6	3	5	7	8
3	8	5	4	9	7	1	2	6
6	7	2	5	1	8	4	3	9

210

4	9	3	1	7	6	2	8	5
5	2	7	9	3	8	6	1	4
6	1	8	4	5	2	9	7	3
1	5	2	8	6	3	4	9	7
9	7	6	2	4	1	3	5	8
8	3	4	5	9	7	1	2	6
2	8	5	6	1	4	7	3	9
7	4	9	3	2	5	8	6	1
3	6	1	7	8	9	5	4	2

211

5	3	9	6	7	1	4	2	8
2	6	4	5	8	9	3	7	1
8	1	7	4	2	3	9	5	6
7	9	1	2	6	4	8	3	5
4	8	5	9	3	7	1	6	2
6	2	3	1	5	8	7	9	4
3	5	8	7	4	2	6	1	9
9	7	2	8	1	6	5	4	3
1	4	6	3	9	5	2	8	7

212

8	9	7	4	6	2	3	1	5
5	4	2	9	1	3	7	8	6
3	1	6	5	7	8	9	2	4
2	3	5	6	4	1	8	9	7
4	6	9	2	8	7	1	5	3
7	8	1	3	5	9	6	4	2
6	5	3	1	9	4	2	7	8
1	7	4	8	2	6	5	3	9
9	2	8	7	3	5	4	6	1

213

9	1	2	6	5	8	3	4	7
8	5	3	2	7	4	9	6	1
6	4	7	9	1	3	5	2	8
1	7	9	3	8	2	4	5	6
2	6	5	1	4	7	8	3	9
4	3	8	5	9	6	7	1	2
3	2	4	8	6	9	1	7	5
7	8	1	4	2	5	6	9	3
5	9	6	7	3	1	2	8	4

214

1	5	8	6	9	4	2	3	7
4	3	9	1	2	7	5	6	8
2	6	7	3	5	8	4	9	1
6	8	3	2	1	5	9	7	4
9	4	1	7	3	6	8	2	5
7	2	5	4	8	9	6	1	3
8	7	6	9	4	3	1	5	2
3	1	4	5	6	2	7	8	9
5	9	2	8	7	1	3	4	6

215

2	4	9	1	3	8	6	5	7
3	6	8	4	7	5	2	1	9
1	7	5	9	6	2	3	8	4
8	9	4	3	1	6	5	7	2
5	1	7	2	4	9	8	3	6
6	2	3	8	5	7	9	4	1
4	8	2	7	9	3	1	6	5
9	5	1	6	8	4	7	2	3
7	3	6	5	2	1	4	9	8

216

3	2	9	6	5	1	4	7	8
5	7	4	9	8	3	6	2	1
6	1	8	4	7	2	3	9	5
4	6	3	5	1	7	2	8	9
7	5	2	8	3	9	1	6	4
9	8	1	2	4	6	7	5	3
2	4	7	3	9	5	8	1	6
1	3	5	7	6	8	9	4	2
8	9	6	1	2	4	5	3	7

217

7	6	4	5	2	1	8	9	3
2	1	8	7	9	3	4	5	6
9	3	5	8	4	6	1	7	2
8	2	9	4	1	7	6	3	5
3	5	6	2	8	9	7	1	4
4	7	1	6	3	5	2	8	9
1	9	2	3	7	4	5	6	8
5	8	3	1	6	2	9	4	7
6	4	7	9	5	8	3	2	1

218

6	9	1	4	5	2	3	7	8
7	3	8	6	1	9	4	5	2
2	4	5	7	8	3	1	9	6
3	1	6	9	7	4	2	8	5
8	7	4	2	3	5	9	6	1
5	2	9	1	6	8	7	3	4
4	8	2	5	9	7	6	1	3
1	5	7	3	2	6	8	4	9
9	6	3	8	4	1	5	2	7

219

2	8	7	3	4	9	1	5	6
1	4	3	5	8	6	9	7	2
6	9	5	1	2	7	8	3	4
9	6	1	4	5	8	3	2	7
3	5	4	9	7	2	6	8	1
8	7	2	6	3	1	5	4	9
4	1	8	2	6	3	7	9	5
7	2	6	8	9	5	4	1	3
5	3	9	7	1	4	2	6	8

220

4	5	2	9	8	3	7	6	1
6	8	9	1	2	7	3	4	5
7	3	1	4	5	6	8	9	2
1	4	5	3	7	8	6	2	9
3	6	7	2	1	9	4	5	8
9	2	8	5	6	4	1	3	7
2	7	4	8	3	5	9	1	6
5	9	6	7	4	1	2	8	3
8	1	3	6	9	2	5	7	4

221

4	6	9	1	5	8	7	3	2
8	7	3	4	2	6	9	1	5
2	1	5	9	3	7	8	4	6
1	2	8	6	9	4	3	5	7
6	3	4	8	7	5	2	9	1
9	5	7	3	1	2	6	8	4
7	4	2	5	8	3	1	6	9
3	9	6	7	4	1	5	2	8
5	8	1	2	6	9	4	7	3

222

2	8	4	3	5	7	1	6	9
1	6	9	4	2	8	7	3	5
7	3	5	9	1	6	4	8	2
6	2	3	5	4	1	9	7	8
9	4	7	2	8	3	6	5	1
5	1	8	7	6	9	2	4	3
4	5	1	6	3	2	8	9	7
8	7	6	1	9	5	3	2	4
3	9	2	8	7	4	5	1	6

223

9	3	5	4	7	6	2	8	1
4	1	8	5	3	2	6	9	7
2	7	6	8	9	1	3	4	5
3	5	7	6	1	9	8	2	4
1	8	2	3	5	4	9	7	6
6	9	4	7	2	8	1	5	3
8	6	9	1	4	5	7	3	2
5	2	3	9	6	7	4	1	8
7	4	1	2	8	3	5	6	9

224

1	9	5	8	6	3	2	4	7
8	6	3	7	4	2	1	9	5
2	7	4	5	1	9	3	8	6
6	2	7	9	8	4	5	3	1
5	4	1	6	3	7	8	2	9
3	8	9	2	5	1	6	7	4
4	5	6	3	9	8	7	1	2
7	1	8	4	2	5	9	6	3
9	3	2	1	7	6	4	5	8

225

2	7	8	5	4	1	9	6	3
3	1	4	7	9	6	8	2	5
6	5	9	2	3	8	4	1	7
8	6	7	9	2	3	1	5	4
1	3	2	6	5	4	7	9	8
9	4	5	1	8	7	2	3	6
4	8	1	3	6	9	5	7	2
7	2	3	4	1	5	6	8	9
5	9	6	8	7	2	3	4	1

226

5	3	1	7	4	9	6	8	2
6	9	7	1	8	2	3	5	4
4	2	8	6	5	3	1	9	7
3	4	2	9	1	5	7	6	8
9	1	5	8	6	7	4	2	3
8	7	6	2	3	4	5	1	9
7	8	4	5	2	1	9	3	6
1	6	9	3	7	8	2	4	5
2	5	3	4	9	6	8	7	1

227

3	7	8	6	9	2	1	5	4
6	1	5	8	3	4	9	2	7
2	9	4	5	1	7	8	6	3
7	8	1	9	2	6	3	4	5
5	6	2	3	4	1	7	9	8
4	3	9	7	5	8	6	1	2
8	4	3	1	6	5	2	7	9
1	2	7	4	8	9	5	3	6
9	5	6	2	7	3	4	8	1

228

8	5	7	4	2	3	9	1	6
3	6	4	1	9	8	2	7	5
9	1	2	7	5	6	3	4	8
4	7	8	2	6	5	1	9	3
1	9	3	8	7	4	5	6	2
5	2	6	9	3	1	4	8	7
6	8	9	3	1	2	7	5	4
2	4	1	5	8	7	6	3	9
7	3	5	6	4	9	8	2	1

229

2	5	3	4	6	7	8	9	1
7	4	9	1	8	5	2	3	6
6	8	1	3	2	9	5	4	7
9	1	8	7	3	2	4	6	5
4	3	2	9	5	6	7	1	8
5	6	7	8	1	4	3	2	9
1	9	4	2	7	8	6	5	3
3	7	5	6	4	1	9	8	2
8	2	6	5	9	3	1	7	4

230

5	6	2	3	9	7	1	4	8
7	3	4	6	1	8	5	9	2
1	9	8	2	4	5	3	6	7
2	8	6	5	7	4	9	3	1
3	4	1	9	6	2	7	8	5
9	7	5	8	3	1	4	2	6
8	2	7	4	5	9	6	1	3
4	1	3	7	2	6	8	5	9
6	5	9	1	8	3	2	7	4

231

3	2	6	7	9	1	4	5	8
9	1	8	5	3	4	2	7	6
7	4	5	6	2	8	3	9	1
4	5	7	3	1	6	8	2	9
1	9	3	4	8	2	5	6	7
6	8	2	9	7	5	1	3	4
2	7	9	8	4	3	6	1	5
8	6	1	2	5	9	7	4	3
5	3	4	1	6	7	9	8	2

232

7	1	5	9	6	8	2	3	4
9	4	6	5	2	3	1	7	8
3	2	8	1	4	7	6	9	5
8	3	4	2	9	6	5	1	7
1	5	9	3	7	4	8	2	6
2	6	7	8	5	1	3	4	9
4	9	2	6	3	5	7	8	1
5	8	3	7	1	9	4	6	2
6	7	1	4	8	2	9	5	3

233

1	3	6	9	4	7	8	5	2
7	8	5	6	1	2	3	4	9
9	4	2	8	3	5	1	7	6
2	7	4	5	6	3	9	1	8
3	1	9	2	7	8	4	6	5
6	5	8	1	9	4	2	3	7
5	2	1	4	8	6	7	9	3
4	6	3	7	2	9	5	8	1
8	9	7	3	5	1	6	2	4

234

6	3	8	4	5	2	9	1	7
5	9	2	6	1	7	3	8	4
4	1	7	3	9	8	2	5	6
2	6	3	9	7	5	1	4	8
1	5	9	8	6	4	7	2	3
8	7	4	1	2	3	5	6	9
9	2	6	7	8	1	4	3	5
3	8	5	2	4	9	6	7	1
7	4	1	5	3	6	8	9	2

235

3	7	1	5	4	6	8	2	9
5	6	9	3	2	8	7	1	4
8	2	4	7	1	9	6	5	3
7	4	6	1	5	3	9	8	2
2	1	8	4	9	7	3	6	5
9	3	5	6	8	2	1	4	7
1	5	3	8	7	4	2	9	6
4	9	7	2	6	1	5	3	8
6	8	2	9	3	5	4	7	1

236

7	5	1	4	2	8	9	6	3
8	2	3	6	7	9	1	4	5
9	6	4	5	1	3	8	2	7
1	9	2	7	5	6	4	3	8
3	4	7	2	8	1	6	5	9
5	8	6	3	9	4	7	1	2
6	1	9	8	3	5	2	7	4
2	3	8	1	4	7	5	9	6
4	7	5	9	6	2	3	8	1

237

2	7	4	6	8	5	3	9	1
5	9	3	2	7	1	8	4	6
1	8	6	4	3	9	7	2	5
4	5	8	3	6	7	2	1	9
6	2	7	9	1	8	5	3	4
9	3	1	5	2	4	6	8	7
8	1	9	7	5	3	4	6	2
7	4	2	8	9	6	1	5	3
3	6	5	1	4	2	9	7	8

238

2	6	9	1	5	4	8	7	3
1	5	7	9	3	8	4	6	2
4	3	8	7	2	6	1	9	5
9	4	5	3	8	1	6	2	7
8	1	2	5	6	7	9	3	4
6	7	3	2	4	9	5	1	8
3	2	4	6	1	5	7	8	9
5	9	1	8	7	2	3	4	6
7	8	6	4	9	3	2	5	1

239

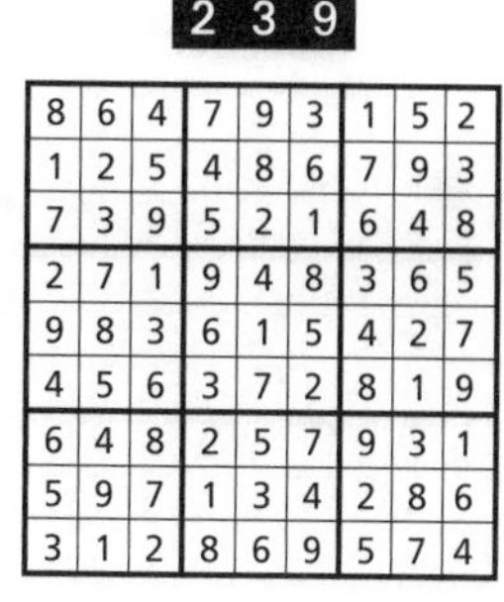

8	6	4	7	9	3	1	5	2
1	2	5	4	8	6	7	9	3
7	3	9	5	2	1	6	4	8
2	7	1	9	4	8	3	6	5
9	8	3	6	1	5	4	2	7
4	5	6	3	7	2	8	1	9
6	4	8	2	5	7	9	3	1
5	9	7	1	3	4	2	8	6
3	1	2	8	6	9	5	7	4

240

1	2	4	6	8	3	9	7	5
5	6	9	7	4	1	2	3	8
3	7	8	2	5	9	1	6	4
9	1	3	4	2	8	7	5	6
2	5	6	9	3	7	4	8	1
4	8	7	5	1	6	3	9	2
6	3	2	8	7	4	5	1	9
7	9	5	1	6	2	8	4	3
8	4	1	3	9	5	6	2	7

241

8	6	9	7	2	3	5	4	1
1	4	5	8	6	9	3	7	2
2	3	7	4	1	5	9	8	6
3	9	1	2	8	6	4	5	7
6	5	8	3	4	7	2	1	9
7	2	4	9	5	1	8	6	3
4	8	6	1	9	2	7	3	5
5	7	2	6	3	4	1	9	8
9	1	3	5	7	8	6	2	4

242

3	7	9	5	6	8	4	2	1
2	5	8	3	4	1	6	7	9
6	1	4	7	2	9	8	3	5
1	3	5	6	7	2	9	8	4
4	8	2	1	9	5	7	6	3
9	6	7	4	8	3	1	5	2
8	9	3	2	1	7	5	4	6
5	4	1	8	3	6	2	9	7
7	2	6	9	5	4	3	1	8

243

1	2	6	7	5	4	3	8	9
8	4	7	9	2	3	5	1	6
5	9	3	6	8	1	4	7	2
6	8	2	5	9	7	1	3	4
3	5	4	8	1	6	9	2	7
7	1	9	4	3	2	8	6	5
2	3	5	1	7	9	6	4	8
4	7	8	3	6	5	2	9	1
9	6	1	2	4	8	7	5	3

244

6	7	8	5	3	1	4	2	9
5	9	1	8	4	2	3	7	6
3	4	2	6	7	9	1	5	8
1	3	6	9	2	7	8	4	5
9	5	4	3	1	8	7	6	2
8	2	7	4	5	6	9	3	1
7	6	9	2	8	3	5	1	4
2	1	5	7	9	4	6	8	3
4	8	3	1	6	5	2	9	7

245

9	6	4	7	3	8	1	5	2
8	5	2	1	4	9	6	3	7
3	1	7	5	2	6	4	8	9
4	2	9	8	7	5	3	6	1
5	3	6	9	1	2	8	7	4
1	7	8	3	6	4	2	9	5
2	4	5	6	9	3	7	1	8
7	8	3	2	5	1	9	4	6
6	9	1	4	8	7	5	2	3

246

3	6	8	7	1	9	2	4	5
5	2	7	4	3	8	6	9	1
9	4	1	5	6	2	3	7	8
7	1	6	3	4	5	8	2	9
8	9	5	6	2	7	1	3	4
2	3	4	9	8	1	7	5	6
1	5	9	8	7	3	4	6	2
6	7	2	1	9	4	5	8	3
4	8	3	2	5	6	9	1	7

247

9	5	2	1	6	8	3	4	7
3	7	4	2	5	9	6	8	1
6	8	1	3	7	4	2	5	9
7	2	8	6	3	5	9	1	4
5	1	9	7	4	2	8	3	6
4	6	3	8	9	1	7	2	5
2	4	7	5	8	6	1	9	3
1	9	6	4	2	3	5	7	8
8	3	5	9	1	7	4	6	2

248

4	3	5	8	2	7	1	9	6
9	7	2	6	5	1	8	4	3
8	6	1	4	3	9	5	2	7
1	5	9	3	6	2	7	8	4
7	8	4	1	9	5	6	3	2
6	2	3	7	4	8	9	5	1
2	9	7	5	1	4	3	6	8
5	1	6	2	8	3	4	7	9
3	4	8	9	7	6	2	1	5

249

9	2	4	5	1	6	3	8	7
3	1	8	7	2	9	5	4	6
6	7	5	4	3	8	9	1	2
4	6	2	8	7	3	1	5	9
8	5	7	2	9	1	6	3	4
1	3	9	6	4	5	7	2	8
2	8	6	1	5	7	4	9	3
7	9	1	3	8	4	2	6	5
5	4	3	9	6	2	8	7	1

250

5	7	1	4	3	9	6	8	2
2	6	9	1	8	7	3	5	4
3	4	8	2	5	6	9	7	1
8	3	2	7	1	5	4	9	6
6	9	5	8	2	4	7	1	3
4	1	7	6	9	3	8	2	5
7	8	4	5	6	2	1	3	9
1	2	3	9	4	8	5	6	7
9	5	6	3	7	1	2	4	8

251

7	3	4	1	5	8	9	6	2
8	2	5	6	4	9	1	7	3
1	6	9	7	3	2	4	5	8
3	5	1	2	7	4	8	9	6
6	9	8	5	1	3	2	4	7
2	4	7	9	8	6	5	3	1
5	7	3	8	9	1	6	2	4
9	1	6	4	2	7	3	8	5
4	8	2	3	6	5	7	1	9

252

9	3	4	8	6	7	1	5	2
8	7	1	2	4	5	3	9	6
6	5	2	1	9	3	4	8	7
4	8	5	9	7	6	2	1	3
1	2	7	3	5	8	6	4	9
3	9	6	4	1	2	8	7	5
2	6	9	7	8	1	5	3	4
7	1	3	5	2	4	9	6	8
5	4	8	6	3	9	7	2	1

253

9	7	5	6	4	3	8	1	2
1	3	8	9	2	5	7	4	6
4	6	2	8	7	1	9	3	5
3	9	7	5	8	2	1	6	4
6	8	1	4	3	9	2	5	7
5	2	4	1	6	7	3	8	9
2	1	9	3	5	6	4	7	8
8	5	3	7	9	4	6	2	1
7	4	6	2	1	8	5	9	3

254

9	8	3	1	5	6	2	4	7
4	1	2	7	3	9	5	6	8
5	6	7	8	2	4	1	9	3
7	5	6	3	8	1	9	2	4
2	3	9	5	4	7	8	1	6
1	4	8	6	9	2	3	7	5
8	7	4	9	1	5	6	3	2
3	2	1	4	6	8	7	5	9
6	9	5	2	7	3	4	8	1

255

6	1	7	9	4	5	8	2	3
4	8	5	1	2	3	6	7	9
3	9	2	6	7	8	1	5	4
2	6	4	8	1	9	7	3	5
5	7	9	2	3	6	4	8	1
1	3	8	4	5	7	2	9	6
8	5	1	3	6	2	9	4	7
7	2	6	5	9	4	3	1	8
9	4	3	7	8	1	5	6	2

256

6	3	2	5	9	1	4	7	8
4	5	1	7	6	8	3	2	9
8	7	9	2	4	3	1	5	6
9	4	5	8	2	6	7	3	1
2	1	6	3	7	5	9	8	4
3	8	7	9	1	4	5	6	2
5	9	8	4	3	2	6	1	7
7	6	3	1	8	9	2	4	5
1	2	4	6	5	7	8	9	3

257

5	3	7	9	1	4	6	8	2
1	9	8	7	6	2	5	4	3
4	6	2	8	3	5	7	9	1
8	2	3	4	9	7	1	6	5
7	5	9	1	2	6	4	3	8
6	1	4	5	8	3	2	7	9
3	7	5	2	4	8	9	1	6
2	8	1	6	7	9	3	5	4
9	4	6	3	5	1	8	2	7

258

1	4	8	7	9	6	2	5	3
5	7	9	1	2	3	4	8	6
2	3	6	4	8	5	7	9	1
9	8	3	6	5	4	1	7	2
6	2	1	3	7	8	5	4	9
4	5	7	2	1	9	6	3	8
7	1	4	9	3	2	8	6	5
8	9	2	5	6	7	3	1	4
3	6	5	8	4	1	9	2	7

259

2	8	1	5	9	6	4	7	3
4	6	9	7	1	3	8	5	2
5	7	3	4	2	8	6	9	1
8	1	6	2	3	7	9	4	5
9	5	7	8	4	1	3	2	6
3	2	4	9	6	5	1	8	7
6	4	8	3	7	2	5	1	9
1	9	2	6	5	4	7	3	8
7	3	5	1	8	9	2	6	4

260

8	5	6	9	1	4	3	7	2
9	7	2	3	6	5	8	4	1
3	1	4	2	8	7	5	9	6
2	8	1	4	9	3	6	5	7
4	6	3	5	7	8	1	2	9
7	9	5	1	2	6	4	8	3
1	3	9	8	5	2	7	6	4
6	4	8	7	3	9	2	1	5
5	2	7	6	4	1	9	3	8

261

1	8	3	9	7	5	6	2	4
7	9	6	1	2	4	8	3	5
4	2	5	3	8	6	9	7	1
2	1	8	5	3	9	4	6	7
3	7	4	2	6	1	5	9	8
6	5	9	8	4	7	2	1	3
8	4	7	6	9	3	1	5	2
5	6	2	7	1	8	3	4	9
9	3	1	4	5	2	7	8	6

262

6	1	8	5	7	4	2	9	3
3	5	2	9	6	1	7	8	4
9	7	4	3	2	8	1	5	6
2	4	1	7	8	5	6	3	9
5	9	3	6	1	2	8	4	7
8	6	7	4	3	9	5	1	2
1	8	9	2	4	7	3	6	5
4	2	6	8	5	3	9	7	1
7	3	5	1	9	6	4	2	8

263

1	6	2	7	9	8	5	3	4
3	4	9	6	5	2	1	7	8
7	5	8	1	4	3	6	9	2
4	1	5	8	3	6	9	2	7
9	7	3	4	2	5	8	6	1
2	8	6	9	7	1	4	5	3
6	3	7	5	1	4	2	8	9
5	9	1	2	8	7	3	4	6
8	2	4	3	6	9	7	1	5

264

2	4	7	6	1	8	3	9	5
8	9	6	7	3	5	1	2	4
5	3	1	4	2	9	7	6	8
6	8	5	9	4	7	2	1	3
3	1	4	5	6	2	9	8	7
9	7	2	1	8	3	5	4	6
7	5	8	2	9	4	6	3	1
4	6	9	3	5	1	8	7	2
1	2	3	8	7	6	4	5	9

265

3	7	4	6	2	1	8	5	9
2	8	6	3	9	5	4	1	7
5	9	1	7	4	8	2	6	3
4	2	9	1	7	6	3	8	5
7	6	3	5	8	4	1	9	2
1	5	8	2	3	9	6	7	4
8	1	7	4	5	3	9	2	6
6	4	5	9	1	2	7	3	8
9	3	2	8	6	7	5	4	1

266

3	8	2	7	6	1	9	5	4
9	6	7	3	4	5	8	2	1
1	5	4	9	2	8	7	3	6
6	2	1	4	8	7	5	9	3
7	4	3	1	5	9	6	8	2
5	9	8	6	3	2	4	1	7
2	3	9	5	7	6	1	4	8
4	1	6	8	9	3	2	7	5
8	7	5	2	1	4	3	6	9

267

5	9	6	7	3	4	2	1	8
1	2	7	9	6	8	3	4	5
4	8	3	5	2	1	9	6	7
7	3	4	2	9	6	8	5	1
8	1	9	3	4	5	7	2	6
6	5	2	8	1	7	4	9	3
2	6	8	1	7	9	5	3	4
3	7	1	4	5	2	6	8	9
9	4	5	6	8	3	1	7	2

268

5	1	4	8	6	2	9	7	3
9	6	8	7	5	3	1	2	4
2	3	7	4	1	9	8	5	6
6	8	3	9	4	5	2	1	7
4	5	9	1	2	7	6	3	8
1	7	2	3	8	6	5	4	9
7	2	1	6	3	8	4	9	5
3	4	6	5	9	1	7	8	2
8	9	5	2	7	4	3	6	1

269

3	8	7	5	4	6	9	1	2
4	9	2	1	7	3	8	6	5
6	1	5	9	2	8	4	3	7
9	5	6	8	1	7	3	2	4
8	2	3	6	9	4	7	5	1
1	7	4	3	5	2	6	9	8
5	6	8	7	3	1	2	4	9
2	3	1	4	8	9	5	7	6
7	4	9	2	6	5	1	8	3

270

2	1	4	6	8	5	7	9	3
8	6	5	7	3	9	2	1	4
3	7	9	1	4	2	8	6	5
5	2	3	9	1	4	6	8	7
1	4	7	8	2	6	3	5	9
6	9	8	5	7	3	1	4	2
7	5	1	2	9	8	4	3	6
9	3	2	4	6	1	5	7	8
4	8	6	3	5	7	9	2	1

271

1	5	3	4	9	6	7	8	2
7	2	9	8	5	3	6	1	4
8	4	6	1	7	2	5	9	3
5	9	2	3	1	7	8	4	6
3	7	8	6	2	4	1	5	9
4	6	1	9	8	5	3	2	7
9	8	7	2	6	1	4	3	5
6	1	4	5	3	9	2	7	8
2	3	5	7	4	8	9	6	1

272

8	2	7	6	5	9	1	3	4
5	1	4	7	3	8	2	9	6
3	6	9	1	2	4	5	7	8
7	8	1	3	6	5	4	2	9
9	5	2	4	7	1	8	6	3
6	4	3	9	8	2	7	1	5
2	7	5	8	9	3	6	4	1
4	9	8	2	1	6	3	5	7
1	3	6	5	4	7	9	8	2

273

9	2	3	7	1	4	5	6	8
8	6	1	2	3	5	9	4	7
5	7	4	6	8	9	2	1	3
7	3	9	1	5	8	6	2	4
6	4	5	9	7	2	3	8	1
1	8	2	4	6	3	7	9	5
3	9	8	5	4	6	1	7	2
4	1	6	3	2	7	8	5	9
2	5	7	8	9	1	4	3	6

274

4	8	3	5	6	7	1	9	2
7	6	5	1	9	2	3	8	4
9	2	1	3	8	4	7	6	5
5	9	4	7	2	6	8	1	3
2	1	6	9	3	8	4	5	7
3	7	8	4	1	5	9	2	6
8	5	9	6	7	3	2	4	1
1	4	7	2	5	9	6	3	8
6	3	2	8	4	1	5	7	9

275

5	2	4	6	1	8	3	9	7
3	6	9	2	7	5	1	4	8
7	8	1	3	9	4	2	5	6
6	4	8	7	5	2	9	3	1
9	7	2	1	8	3	4	6	5
1	5	3	4	6	9	8	7	2
2	1	5	9	3	7	6	8	4
4	9	7	8	2	6	5	1	3
8	3	6	5	4	1	7	2	9

276

8	6	9	2	3	4	5	7	1
4	3	7	1	8	5	2	6	9
5	2	1	9	7	6	8	4	3
3	1	2	5	4	9	7	8	6
9	7	4	8	6	1	3	2	5
6	5	8	7	2	3	1	9	4
7	4	5	3	9	8	6	1	2
1	8	6	4	5	2	9	3	7
2	9	3	6	1	7	4	5	8

277

2	8	4	1	5	6	9	7	3
3	1	9	4	2	7	5	8	6
5	7	6	8	3	9	1	4	2
8	3	1	5	4	2	7	6	9
6	4	2	7	9	8	3	1	5
7	9	5	3	6	1	4	2	8
9	5	7	2	8	4	6	3	1
1	6	8	9	7	3	2	5	4
4	2	3	6	1	5	8	9	7

278

7	3	5	2	4	9	8	6	1
1	4	8	7	3	6	2	9	5
9	2	6	5	1	8	3	7	4
5	7	4	9	6	3	1	8	2
3	1	2	4	8	7	6	5	9
8	6	9	1	2	5	4	3	7
4	9	3	6	5	1	7	2	8
6	5	1	8	7	2	9	4	3
2	8	7	3	9	4	5	1	6

279

7	5	3	8	1	4	9	2	6
2	1	8	3	6	9	5	7	4
6	9	4	2	7	5	3	1	8
4	2	7	9	3	1	8	6	5
9	8	1	7	5	6	4	3	2
3	6	5	4	8	2	1	9	7
1	3	6	5	2	8	7	4	9
5	7	9	6	4	3	2	8	1
8	4	2	1	9	7	6	5	3

280

9	5	2	8	7	1	4	3	6
1	4	3	2	5	6	8	7	9
6	7	8	4	3	9	2	1	5
2	1	9	3	6	7	5	4	8
4	6	5	1	8	2	3	9	7
3	8	7	5	9	4	1	6	2
5	9	1	6	4	8	7	2	3
7	3	4	9	2	5	6	8	1
8	2	6	7	1	3	9	5	4

281

2	9	4	6	8	1	3	5	7
7	6	5	3	9	2	8	1	4
8	1	3	5	7	4	9	2	6
3	7	8	2	4	9	5	6	1
1	4	9	7	6	5	2	8	3
5	2	6	8	1	3	7	4	9
6	3	2	1	5	7	4	9	8
4	8	7	9	2	6	1	3	5
9	5	1	4	3	8	6	7	2

282

6	3	9	2	4	5	8	7	1
1	8	7	3	9	6	2	5	4
4	5	2	1	7	8	9	3	6
8	9	6	4	5	1	3	2	7
3	7	4	8	2	9	1	6	5
2	1	5	7	6	3	4	8	9
7	6	1	9	8	2	5	4	3
5	2	3	6	1	4	7	9	8
9	4	8	5	3	7	6	1	2

283

6	2	7	3	9	1	8	5	4
3	9	8	7	5	4	1	2	6
1	5	4	8	2	6	9	3	7
5	4	2	6	1	7	3	9	8
7	1	9	5	3	8	4	6	2
8	3	6	2	4	9	5	7	1
2	8	5	1	7	3	6	4	9
4	7	1	9	6	5	2	8	3
9	6	3	4	8	2	7	1	5

284

1	8	9	7	4	2	3	5	6
4	2	7	3	5	6	9	8	1
6	5	3	8	9	1	7	2	4
2	4	8	9	1	7	5	6	3
7	9	1	6	3	5	8	4	2
5	3	6	2	8	4	1	9	7
8	6	5	4	7	3	2	1	9
3	1	2	5	6	9	4	7	8
9	7	4	1	2	8	6	3	5

285

1	9	8	7	5	3	4	2	6
4	7	6	1	8	2	9	5	3
5	3	2	9	6	4	1	7	8
7	6	4	5	1	8	3	9	2
2	5	9	4	3	6	8	1	7
8	1	3	2	7	9	5	6	4
6	2	5	3	4	1	7	8	9
9	4	7	8	2	5	6	3	1
3	8	1	6	9	7	2	4	5

286

1	4	7	9	6	8	2	5	3
5	9	8	4	3	2	1	6	7
3	6	2	5	7	1	9	8	4
2	3	1	7	8	9	5	4	6
6	7	9	1	4	5	3	2	8
8	5	4	6	2	3	7	1	9
7	1	5	8	9	6	4	3	2
4	2	6	3	5	7	8	9	1
9	8	3	2	1	4	6	7	5

287

8	7	1	5	3	6	4	2	9
5	3	4	1	2	9	7	8	6
6	2	9	7	4	8	5	3	1
4	9	5	3	7	2	1	6	8
1	8	2	4	6	5	3	9	7
7	6	3	8	9	1	2	5	4
9	5	7	6	1	3	8	4	2
3	4	6	2	8	7	9	1	5
2	1	8	9	5	4	6	7	3

288

5	7	6	3	1	2	4	9	8
9	4	8	6	7	5	2	1	3
1	3	2	4	9	8	6	5	7
3	1	5	8	2	6	9	7	4
7	6	9	1	3	4	8	2	5
8	2	4	9	5	7	3	6	1
4	9	7	2	8	1	5	3	6
2	8	1	5	6	3	7	4	9
6	5	3	7	4	9	1	8	2

289

7	1	9	8	4	2	6	5	3
6	3	5	9	1	7	2	4	8
4	2	8	5	6	3	7	1	9
8	9	3	2	7	5	4	6	1
1	7	2	6	8	4	3	9	5
5	4	6	3	9	1	8	7	2
3	6	7	1	5	8	9	2	4
2	5	4	7	3	9	1	8	6
9	8	1	4	2	6	5	3	7

290

3	9	8	2	7	6	5	4	1
5	2	1	8	3	4	6	9	7
7	6	4	9	1	5	3	2	8
9	5	7	1	8	2	4	3	6
8	4	2	6	5	3	1	7	9
6	1	3	7	4	9	8	5	2
1	7	5	3	2	8	9	6	4
4	8	9	5	6	7	2	1	3
2	3	6	4	9	1	7	8	5

291

6	4	2	9	7	8	1	5	3
7	1	3	2	4	5	9	8	6
8	9	5	3	1	6	2	4	7
9	2	7	6	5	4	3	1	8
4	8	6	7	3	1	5	9	2
3	5	1	8	9	2	6	7	4
1	7	4	5	2	3	8	6	9
5	3	8	4	6	9	7	2	1
2	6	9	1	8	7	4	3	5

292

5	8	7	1	2	4	9	6	3
4	2	6	9	3	8	7	5	1
9	1	3	5	7	6	4	8	2
7	4	5	3	1	2	6	9	8
1	3	9	8	6	5	2	4	7
8	6	2	4	9	7	3	1	5
2	5	8	7	4	9	1	3	6
3	7	4	6	5	1	8	2	9
6	9	1	2	8	3	5	7	4

293

2	1	8	9	4	7	5	6	3
7	9	5	6	1	3	8	2	4
6	3	4	8	2	5	1	9	7
8	7	1	4	6	9	3	5	2
9	2	6	5	3	8	4	7	1
4	5	3	1	7	2	9	8	6
1	8	7	3	5	6	2	4	9
5	4	2	7	9	1	6	3	8
3	6	9	2	8	4	7	1	5

294

8	1	6	5	3	2	7	4	9
9	4	7	6	8	1	2	5	3
2	3	5	9	4	7	6	8	1
3	2	9	4	7	6	8	1	5
6	7	4	8	1	5	9	3	2
5	8	1	3	2	9	4	6	7
4	5	3	7	9	8	1	2	6
1	9	8	2	6	3	5	7	4
7	6	2	1	5	4	3	9	8

295

7	6	3	5	9	2	8	1	4
1	4	8	7	3	6	2	9	5
9	5	2	8	1	4	6	7	3
2	8	9	3	6	7	4	5	1
5	3	1	2	4	9	7	8	6
4	7	6	1	5	8	3	2	9
8	1	5	6	2	3	9	4	7
6	2	4	9	7	1	5	3	8
3	9	7	4	8	5	1	6	2

296

8	2	5	6	4	7	9	3	1
3	4	1	2	5	9	7	6	8
9	6	7	1	8	3	2	5	4
4	8	6	5	3	2	1	7	9
2	7	3	8	9	1	6	4	5
5	1	9	7	6	4	3	8	2
1	9	8	4	7	6	5	2	3
6	3	4	9	2	5	8	1	7
7	5	2	3	1	8	4	9	6

297

5	3	6	8	2	9	1	7	4
9	8	2	4	1	7	6	5	3
1	4	7	5	6	3	8	2	9
8	1	9	3	5	2	4	6	7
2	7	3	9	4	6	5	1	8
6	5	4	1	7	8	3	9	2
4	9	5	7	3	1	2	8	6
7	2	1	6	8	4	9	3	5
3	6	8	2	9	5	7	4	1

298

2	5	3	9	8	4	6	7	1
1	9	6	3	2	7	5	8	4
7	4	8	6	1	5	2	3	9
5	7	1	8	4	9	3	6	2
9	6	4	2	7	3	8	1	5
8	3	2	5	6	1	9	4	7
4	2	9	7	3	8	1	5	6
6	8	7	1	5	2	4	9	3
3	1	5	4	9	6	7	2	8

299

3	8	5	2	9	4	1	6	7
9	1	4	6	3	7	2	5	8
6	2	7	1	5	8	3	9	4
8	6	1	7	2	5	9	4	3
7	5	2	9	4	3	8	1	6
4	9	3	8	6	1	5	7	2
2	7	9	3	1	6	4	8	5
5	3	8	4	7	9	6	2	1
1	4	6	5	8	2	7	3	9

300

3	2	7	4	6	9	8	5	1
8	9	4	2	5	1	3	6	7
6	5	1	7	8	3	2	9	4
7	6	8	3	1	4	9	2	5
5	1	3	8	9	2	7	4	6
2	4	9	6	7	5	1	8	3
1	8	5	9	4	7	6	3	2
4	3	6	1	2	8	5	7	9
9	7	2	5	3	6	4	1	8

301

3	2	5	9	7	8	4	6	1
4	9	6	3	2	1	7	8	5
7	1	8	5	6	4	3	9	2
8	3	4	7	9	2	5	1	6
6	5	1	8	4	3	2	7	9
9	7	2	6	1	5	8	4	3
1	4	3	2	8	6	9	5	7
5	6	9	4	3	7	1	2	8
2	8	7	1	5	9	6	3	4

302

6	7	3	1	8	5	2	4	9
1	5	9	2	3	4	8	6	7
4	8	2	9	7	6	3	1	5
2	9	4	3	6	8	5	7	1
8	6	5	4	1	7	9	2	3
3	1	7	5	9	2	6	8	4
5	2	1	6	4	3	7	9	8
9	3	8	7	2	1	4	5	6
7	4	6	8	5	9	1	3	2

303

1	3	9	6	8	4	2	5	7
4	8	7	5	9	2	6	3	1
2	6	5	1	3	7	9	8	4
5	4	6	2	7	3	8	1	9
7	1	3	9	6	8	5	4	2
9	2	8	4	1	5	7	6	3
8	5	1	7	4	9	3	2	6
3	7	4	8	2	6	1	9	5
6	9	2	3	5	1	4	7	8

304

3	8	7	2	5	9	6	1	4
2	5	4	8	6	1	9	3	7
9	6	1	7	3	4	5	8	2
5	2	9	3	1	6	7	4	8
1	7	3	9	4	8	2	6	5
6	4	8	5	2	7	1	9	3
4	9	2	6	7	3	8	5	1
7	3	6	1	8	5	4	2	9
8	1	5	4	9	2	3	7	6

305

3	2	1	6	5	7	4	8	9
4	6	7	2	8	9	1	5	3
5	8	9	1	4	3	7	6	2
2	4	5	9	7	6	3	1	8
9	1	6	4	3	8	2	7	5
7	3	8	5	2	1	9	4	6
6	5	2	7	9	4	8	3	1
1	7	3	8	6	2	5	9	4
8	9	4	3	1	5	6	2	7

306

2	5	4	3	7	6	1	8	9
9	6	7	5	8	1	3	2	4
8	1	3	2	4	9	6	7	5
6	7	1	4	2	8	5	9	3
3	8	2	1	9	5	7	4	6
4	9	5	7	6	3	8	1	2
1	3	8	9	5	4	2	6	7
7	4	6	8	3	2	9	5	1
5	2	9	6	1	7	4	3	8

307

7	4	9	1	3	5	2	8	6
5	3	2	8	9	6	4	1	7
1	8	6	4	2	7	3	5	9
3	5	7	9	1	8	6	4	2
4	2	1	7	6	3	5	9	8
9	6	8	5	4	2	1	7	3
8	7	3	2	5	4	9	6	1
2	9	5	6	8	1	7	3	4
6	1	4	3	7	9	8	2	5

308

9	3	4	2	7	8	6	5	1
5	2	6	9	3	1	4	8	7
1	7	8	5	6	4	3	2	9
3	1	5	6	8	9	2	7	4
7	8	2	3	4	5	1	9	6
4	6	9	7	1	2	8	3	5
2	4	3	1	5	7	9	6	8
6	5	1	8	9	3	7	4	2
8	9	7	4	2	6	5	1	3

309

8	3	2	9	6	5	7	1	4
1	7	6	8	3	4	2	5	9
5	9	4	2	7	1	6	3	8
2	6	3	1	4	8	9	7	5
7	8	5	6	9	2	3	4	1
9	4	1	3	5	7	8	2	6
3	2	9	4	1	6	5	8	7
4	5	8	7	2	9	1	6	3
6	1	7	5	8	3	4	9	2

310

8	6	1	4	5	2	7	9	3
7	3	9	1	6	8	5	2	4
4	5	2	7	3	9	1	6	8
2	8	7	5	1	3	9	4	6
9	1	5	6	8	4	2	3	7
6	4	3	9	2	7	8	5	1
3	2	4	8	9	1	6	7	5
5	9	8	3	7	6	4	1	2
1	7	6	2	4	5	3	8	9

311

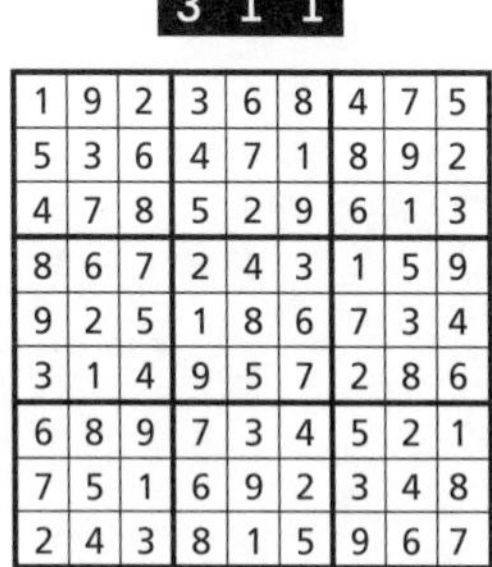

1	9	2	3	6	8	4	7	5
5	3	6	4	7	1	8	9	2
4	7	8	5	2	9	6	1	3
8	6	7	2	4	3	1	5	9
9	2	5	1	8	6	7	3	4
3	1	4	9	5	7	2	8	6
6	8	9	7	3	4	5	2	1
7	5	1	6	9	2	3	4	8
2	4	3	8	1	5	9	6	7

312

8	5	1	3	9	2	7	6	4
2	7	4	1	6	8	5	9	3
3	9	6	5	4	7	2	8	1
7	4	5	9	8	3	6	1	2
6	3	8	2	7	1	9	4	5
1	2	9	4	5	6	8	3	7
5	6	2	8	1	4	3	7	9
9	1	7	6	3	5	4	2	8
4	8	3	7	2	9	1	5	6

313

5	6	4	1	9	8	7	3	2
2	9	8	4	7	3	1	5	6
3	1	7	2	5	6	4	8	9
1	4	2	5	6	9	8	7	3
9	5	3	8	2	7	6	1	4
7	8	6	3	1	4	9	2	5
8	2	9	7	4	5	3	6	1
4	7	5	6	3	1	2	9	8
6	3	1	9	8	2	5	4	7

314

8	7	5	9	6	4	3	1	2
6	1	4	8	2	3	7	5	9
9	2	3	7	1	5	8	6	4
3	5	2	4	7	6	9	8	1
7	6	8	3	9	1	4	2	5
1	4	9	2	5	8	6	3	7
2	9	6	1	8	7	5	4	3
4	8	1	5	3	9	2	7	6
5	3	7	6	4	2	1	9	8

315

3	9	7	2	8	5	4	1	6
4	5	2	6	1	7	3	9	8
6	1	8	3	4	9	2	5	7
8	6	5	9	7	4	1	3	2
1	4	3	8	2	6	5	7	9
2	7	9	5	3	1	8	6	4
5	8	1	7	9	2	6	4	3
9	2	4	1	6	3	7	8	5
7	3	6	4	5	8	9	2	1

316

4	8	5	6	2	3	1	7	9
3	2	6	7	1	9	5	4	8
7	9	1	4	8	5	2	3	6
2	7	9	3	4	8	6	5	1
1	3	8	2	5	6	7	9	4
6	5	4	9	7	1	3	8	2
9	6	2	8	3	7	4	1	5
5	4	7	1	9	2	8	6	3
8	1	3	5	6	4	9	2	7

317

1	2	9	8	6	3	4	5	7
8	6	4	1	7	5	3	9	2
7	5	3	4	2	9	6	1	8
9	8	7	6	3	4	1	2	5
2	3	1	7	5	8	9	6	4
5	4	6	2	9	1	7	8	3
6	1	2	5	4	7	8	3	9
3	7	8	9	1	2	5	4	6
4	9	5	3	8	6	2	7	1

318

7	5	2	6	3	8	9	1	4
8	4	9	2	7	1	5	6	3
3	6	1	5	9	4	8	2	7
9	2	5	1	6	7	4	3	8
6	7	8	9	4	3	2	5	1
1	3	4	8	2	5	6	7	9
4	8	7	3	5	2	1	9	6
5	9	3	4	1	6	7	8	2
2	1	6	7	8	9	3	4	5

319

8	9	7	6	4	3	2	1	5
4	1	5	7	8	2	3	6	9
6	3	2	5	9	1	4	7	8
3	4	1	9	2	6	8	5	7
7	5	8	1	3	4	6	9	2
9	2	6	8	7	5	1	4	3
1	6	3	2	5	7	9	8	4
5	8	4	3	1	9	7	2	6
2	7	9	4	6	8	5	3	1

320

4	2	3	8	7	6	5	1	9
9	6	5	4	1	2	7	8	3
7	8	1	3	9	5	6	4	2
2	3	9	1	5	7	8	6	4
5	7	6	2	8	4	3	9	1
1	4	8	6	3	9	2	5	7
6	5	2	9	4	3	1	7	8
3	1	4	7	6	8	9	2	5
8	9	7	5	2	1	4	3	6

321

2	3	8	1	4	5	7	9	6
7	1	6	2	9	8	3	5	4
5	4	9	7	6	3	1	2	8
6	8	5	4	7	9	2	3	1
4	9	7	3	2	1	6	8	5
3	2	1	5	8	6	4	7	9
8	7	2	9	1	4	5	6	3
1	6	3	8	5	2	9	4	7
9	5	4	6	3	7	8	1	2

322

2	4	1	7	6	3	9	5	8
7	5	8	2	1	9	6	4	3
6	3	9	8	5	4	2	1	7
3	1	2	5	9	8	4	7	6
9	8	4	1	7	6	5	3	2
5	6	7	3	4	2	1	8	9
8	9	5	4	2	7	3	6	1
1	2	3	6	8	5	7	9	4
4	7	6	9	3	1	8	2	5

323

6	2	1	7	3	9	8	5	4
7	3	4	6	5	8	9	1	2
8	9	5	2	1	4	3	6	7
1	5	7	8	2	6	4	9	3
3	4	6	9	7	5	2	8	1
9	8	2	1	4	3	5	7	6
5	6	3	4	9	7	1	2	8
4	1	8	5	6	2	7	3	9
2	7	9	3	8	1	6	4	5

324

8	7	5	3	6	4	2	1	9
6	3	1	8	9	2	5	7	4
9	2	4	1	5	7	8	3	6
1	9	6	4	7	8	3	2	5
7	5	2	9	1	3	4	6	8
4	8	3	5	2	6	1	9	7
3	4	7	2	8	9	6	5	1
2	1	9	6	4	5	7	8	3
5	6	8	7	3	1	9	4	2

325

4	3	1	9	6	8	5	2	7
7	8	6	2	1	5	9	3	4
9	2	5	4	3	7	1	6	8
6	5	4	3	8	1	2	7	9
8	1	7	5	2	9	3	4	6
3	9	2	7	4	6	8	5	1
2	6	8	1	5	4	7	9	3
5	4	9	8	7	3	6	1	2
1	7	3	6	9	2	4	8	5

326

5	6	2	3	8	7	9	1	4
4	1	9	6	2	5	7	3	8
3	7	8	4	1	9	6	2	5
2	5	3	1	9	8	4	7	6
8	4	6	2	7	3	1	5	9
7	9	1	5	4	6	2	8	3
9	8	4	7	3	2	5	6	1
6	3	7	9	5	1	8	4	2
1	2	5	8	6	4	3	9	7

327

8	1	2	5	3	6	4	9	7
9	5	7	2	8	4	3	6	1
4	6	3	7	1	9	2	8	5
7	2	4	3	5	8	9	1	6
6	3	8	4	9	1	7	5	2
1	9	5	6	2	7	8	4	3
2	8	1	9	7	5	6	3	4
5	7	6	8	4	3	1	2	9
3	4	9	1	6	2	5	7	8

328

6	2	4	9	7	5	3	8	1
7	1	3	6	2	8	9	5	4
5	8	9	1	3	4	2	6	7
2	9	6	4	5	7	8	1	3
1	4	5	8	6	3	7	2	9
8	3	7	2	9	1	6	4	5
9	6	1	7	4	2	5	3	8
3	7	8	5	1	6	4	9	2
4	5	2	3	8	9	1	7	6

329

8	9	7	6	1	3	4	5	2
4	5	1	9	2	8	6	3	7
3	2	6	7	5	4	1	8	9
1	4	9	3	8	5	7	2	6
2	3	5	4	6	7	8	9	1
6	7	8	1	9	2	3	4	5
9	1	2	8	4	6	5	7	3
5	8	3	2	7	1	9	6	4
7	6	4	5	3	9	2	1	8

330

9	6	7	4	3	2	5	1	8
5	4	2	9	1	8	7	3	6
1	8	3	5	7	6	4	2	9
3	5	4	8	2	7	9	6	1
8	7	6	1	5	9	2	4	3
2	1	9	6	4	3	8	7	5
7	3	5	2	9	1	6	8	4
6	9	1	7	8	4	3	5	2
4	2	8	3	6	5	1	9	7

331

7	8	3	6	1	2	5	4	9
1	4	5	9	8	7	3	2	6
9	2	6	4	5	3	8	7	1
8	3	9	5	6	4	2	1	7
2	1	7	3	9	8	4	6	5
6	5	4	7	2	1	9	8	3
3	9	8	1	4	6	7	5	2
4	7	1	2	3	5	6	9	8
5	6	2	8	7	9	1	3	4

332

8	1	7	5	2	4	6	9	3
5	9	2	1	3	6	8	7	4
4	3	6	9	8	7	1	5	2
7	2	4	6	5	3	9	1	8
9	5	1	4	7	8	2	3	6
6	8	3	2	9	1	5	4	7
2	4	9	3	6	5	7	8	1
1	6	8	7	4	9	3	2	5
3	7	5	8	1	2	4	6	9

333

5	8	2	7	3	1	9	4	6
9	4	7	2	5	6	3	1	8
1	6	3	4	8	9	5	7	2
2	9	8	5	6	4	1	3	7
7	3	1	9	2	8	6	5	4
6	5	4	3	1	7	2	8	9
4	2	5	6	7	3	8	9	1
3	1	9	8	4	2	7	6	5
8	7	6	1	9	5	4	2	3

334

4	5	8	1	3	7	2	6	9
6	2	3	8	9	4	1	7	5
7	9	1	5	2	6	3	4	8
9	4	5	7	8	1	6	2	3
3	1	6	9	5	2	4	8	7
8	7	2	4	6	3	9	5	1
1	3	4	2	7	5	8	9	6
2	8	7	6	1	9	5	3	4
5	6	9	3	4	8	7	1	2

335

3	7	5	2	6	8	4	9	1
4	1	9	3	5	7	6	8	2
2	6	8	9	1	4	3	5	7
8	2	7	1	3	9	5	6	4
6	9	1	4	8	5	7	2	3
5	4	3	6	7	2	8	1	9
7	3	6	5	2	1	9	4	8
9	5	2	8	4	3	1	7	6
1	8	4	7	9	6	2	3	5

336

6	1	3	2	4	9	5	8	7
8	9	5	7	3	1	6	4	2
7	4	2	5	6	8	3	1	9
9	3	8	4	1	5	7	2	6
5	7	6	8	9	2	1	3	4
1	2	4	6	7	3	9	5	8
4	8	9	1	5	6	2	7	3
3	5	7	9	2	4	8	6	1
2	6	1	3	8	7	4	9	5

337

6	3	1	8	2	4	9	5	7
8	2	4	9	7	5	1	3	6
5	9	7	3	1	6	2	8	4
2	4	8	5	3	1	7	6	9
7	1	5	6	8	9	4	2	3
3	6	9	2	4	7	8	1	5
9	8	6	7	5	2	3	4	1
4	7	3	1	6	8	5	9	2
1	5	2	4	9	3	6	7	8

338

9	1	5	3	4	8	7	6	2
6	7	2	5	9	1	3	8	4
4	8	3	6	2	7	5	1	9
2	3	1	9	5	4	6	7	8
8	9	4	7	6	3	1	2	5
7	5	6	1	8	2	4	9	3
3	6	8	2	1	5	9	4	7
5	4	9	8	7	6	2	3	1
1	2	7	4	3	9	8	5	6

339

2	7	4	5	8	6	3	9	1
1	6	5	2	3	9	4	7	8
8	3	9	7	4	1	6	5	2
9	1	8	6	2	7	5	4	3
6	2	7	4	5	3	8	1	9
4	5	3	9	1	8	7	2	6
5	9	6	3	7	2	1	8	4
3	4	1	8	9	5	2	6	7
7	8	2	1	6	4	9	3	5

340

8	6	4	9	5	3	2	7	1
2	7	5	6	4	1	8	3	9
3	1	9	8	7	2	5	6	4
9	2	8	4	3	6	7	1	5
5	4	7	2	1	9	6	8	3
6	3	1	7	8	5	9	4	2
4	8	2	1	9	7	3	5	6
1	5	6	3	2	8	4	9	7
7	9	3	5	6	4	1	2	8

341

3	5	4	7	1	9	6	2	8
9	2	7	6	5	8	3	1	4
8	6	1	3	4	2	7	9	5
4	9	2	8	7	3	1	5	6
6	1	3	9	2	5	4	8	7
5	7	8	1	6	4	2	3	9
1	4	5	2	9	6	8	7	3
7	3	6	5	8	1	9	4	2
2	8	9	4	3	7	5	6	1

342

8	7	9	3	5	1	4	6	2
6	5	1	7	2	4	9	3	8
2	4	3	6	8	9	5	7	1
5	8	7	2	9	6	3	1	4
9	2	4	8	1	3	6	5	7
3	1	6	4	7	5	8	2	9
1	6	5	9	4	7	2	8	3
4	3	2	1	6	8	7	9	5
7	9	8	5	3	2	1	4	6

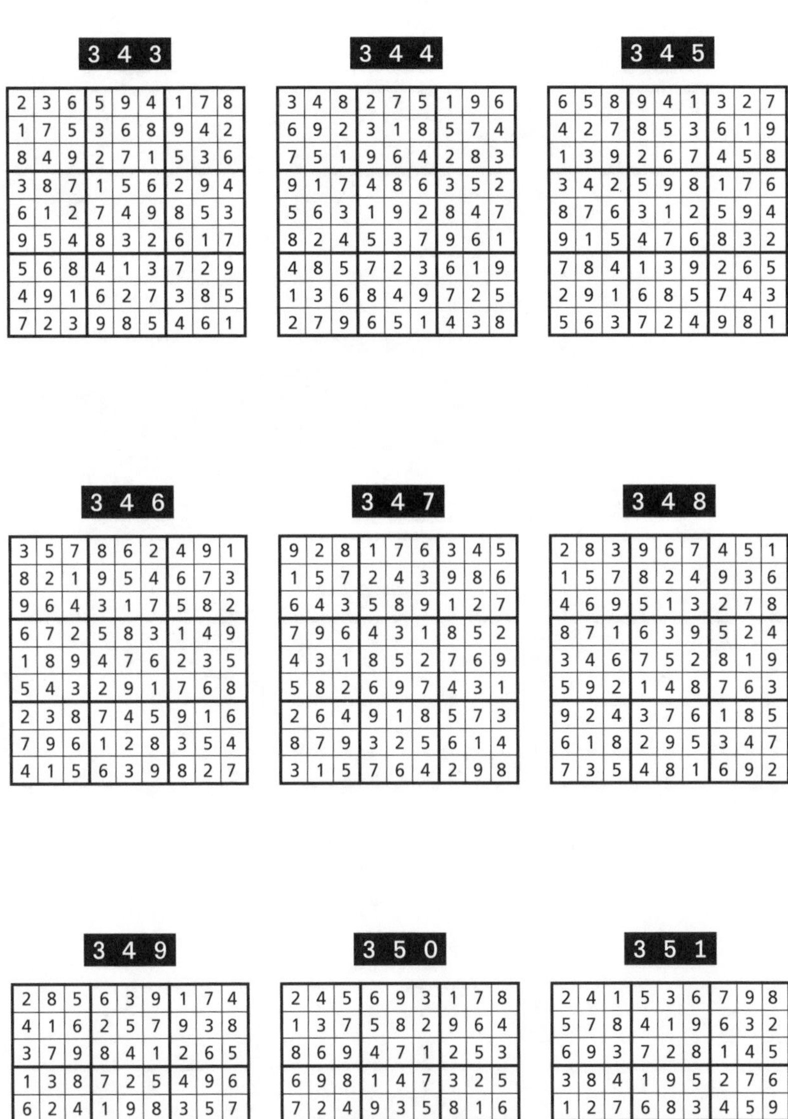

343

2	3	6	5	9	4	1	7	8
1	7	5	3	6	8	9	4	2
8	4	9	2	7	1	5	3	6
3	8	7	1	5	6	2	9	4
6	1	2	7	4	9	8	5	3
9	5	4	8	3	2	6	1	7
5	6	8	4	1	3	7	2	9
4	9	1	6	2	7	3	8	5
7	2	3	9	8	5	4	6	1

344

3	4	8	2	7	5	1	9	6
6	9	2	3	1	8	5	7	4
7	5	1	9	6	4	2	8	3
9	1	7	4	8	6	3	5	2
5	6	3	1	9	2	8	4	7
8	2	4	5	3	7	9	6	1
4	8	5	7	2	3	6	1	9
1	3	6	8	4	9	7	2	5
2	7	9	6	5	1	4	3	8

345

6	5	8	9	4	1	3	2	7
4	2	7	8	5	3	6	1	9
1	3	9	2	6	7	4	5	8
3	4	2	5	9	8	1	7	6
8	7	6	3	1	2	5	9	4
9	1	5	4	7	6	8	3	2
7	8	4	1	3	9	2	6	5
2	9	1	6	8	5	7	4	3
5	6	3	7	2	4	9	8	1

346

3	5	7	8	6	2	4	9	1
8	2	1	9	5	4	6	7	3
9	6	4	3	1	7	5	8	2
6	7	2	5	8	3	1	4	9
1	8	9	4	7	6	2	3	5
5	4	3	2	9	1	7	6	8
2	3	8	7	4	5	9	1	6
7	9	6	1	2	8	3	5	4
4	1	5	6	3	9	8	2	7

347

9	2	8	1	7	6	3	4	5
1	5	7	2	4	3	9	8	6
6	4	3	5	8	9	1	2	7
7	9	6	4	3	1	8	5	2
4	3	1	8	5	2	7	6	9
5	8	2	6	9	7	4	3	1
2	6	4	9	1	8	5	7	3
8	7	9	3	2	5	6	1	4
3	1	5	7	6	4	2	9	8

348

2	8	3	9	6	7	4	5	1
1	5	7	8	2	4	9	3	6
4	6	9	5	1	3	2	7	8
8	7	1	6	3	9	5	2	4
3	4	6	7	5	2	8	1	9
5	9	2	1	4	8	7	6	3
9	2	4	3	7	6	1	8	5
6	1	8	2	9	5	3	4	7
7	3	5	4	8	1	6	9	2

349

2	8	5	6	3	9	1	7	4
4	1	6	2	5	7	9	3	8
3	7	9	8	4	1	2	6	5
1	3	8	7	2	5	4	9	6
6	2	4	1	9	8	3	5	7
5	9	7	4	6	3	8	1	2
9	4	1	5	8	6	7	2	3
7	5	2	3	1	4	6	8	9
8	6	3	9	7	2	5	4	1

350

2	4	5	6	9	3	1	7	8
1	3	7	5	8	2	9	6	4
8	6	9	4	7	1	2	5	3
6	9	8	1	4	7	3	2	5
7	2	4	9	3	5	8	1	6
5	1	3	2	6	8	7	4	9
9	7	6	8	2	4	5	3	1
4	5	2	3	1	9	6	8	7
3	8	1	7	5	6	4	9	2

351

2	4	1	5	3	6	7	9	8
5	7	8	4	1	9	6	3	2
6	9	3	7	2	8	1	4	5
3	8	4	1	9	5	2	7	6
1	2	7	6	8	3	4	5	9
9	5	6	2	7	4	8	1	3
8	1	5	3	6	7	9	2	4
4	6	2	9	5	1	3	8	7
7	3	9	8	4	2	5	6	1

352

9	3	7	8	6	4	2	1	5
4	1	8	2	3	5	6	9	7
6	5	2	9	1	7	8	4	3
3	6	4	1	5	9	7	8	2
1	8	9	7	2	3	4	5	6
7	2	5	4	8	6	9	3	1
2	4	1	3	7	8	5	6	9
8	7	6	5	9	1	3	2	4
5	9	3	6	4	2	1	7	8

353

1	9	4	3	5	8	7	2	6
6	8	3	1	7	2	5	4	9
5	2	7	6	9	4	3	8	1
3	7	9	2	8	6	1	5	4
2	6	5	4	1	9	8	7	3
4	1	8	5	3	7	6	9	2
8	4	1	7	2	3	9	6	5
9	3	6	8	4	5	2	1	7
7	5	2	9	6	1	4	3	8

354

5	4	8	3	1	6	7	9	2
2	7	1	4	8	9	3	5	6
6	3	9	7	2	5	1	4	8
9	6	7	8	4	3	5	2	1
3	1	4	2	5	7	8	6	9
8	2	5	9	6	1	4	3	7
1	9	6	5	7	4	2	8	3
7	5	2	6	3	8	9	1	4
4	8	3	1	9	2	6	7	5

355

7	2	9	8	4	5	6	1	3
5	4	1	9	6	3	2	8	7
3	6	8	1	7	2	9	5	4
8	3	5	7	2	9	1	4	6
6	7	4	5	1	8	3	9	2
1	9	2	4	3	6	8	7	5
2	5	7	6	9	1	4	3	8
9	8	3	2	5	4	7	6	1
4	1	6	3	8	7	5	2	9

356

9	7	1	4	2	8	3	6	5
2	5	8	3	9	6	4	1	7
3	4	6	7	5	1	8	9	2
5	3	7	6	8	9	1	2	4
6	1	9	2	4	5	7	3	8
4	8	2	1	3	7	6	5	9
8	2	4	9	1	3	5	7	6
1	6	5	8	7	2	9	4	3
7	9	3	5	6	4	2	8	1

357

6	5	1	9	4	3	7	2	8
2	9	3	7	6	8	5	1	4
8	7	4	1	2	5	3	6	9
3	1	8	2	9	6	4	7	5
4	2	9	5	8	7	1	3	6
5	6	7	4	3	1	8	9	2
7	3	2	6	5	4	9	8	1
1	4	6	8	7	9	2	5	3
9	8	5	3	1	2	6	4	7

358

8	1	9	5	4	3	7	6	2
2	5	6	7	9	1	4	3	8
4	7	3	8	2	6	1	5	9
3	8	4	2	1	5	6	9	7
1	2	5	9	6	7	8	4	3
9	6	7	4	3	8	5	2	1
6	4	8	3	7	9	2	1	5
5	9	1	6	8	2	3	7	4
7	3	2	1	5	4	9	8	6

359

6	1	5	7	8	2	3	9	4
3	7	4	6	9	1	2	8	5
8	9	2	4	5	3	6	7	1
4	8	7	9	3	5	1	2	6
2	3	9	1	4	6	7	5	8
5	6	1	8	2	7	9	4	3
9	4	3	2	1	8	5	6	7
7	5	8	3	6	9	4	1	2
1	2	6	5	7	4	8	3	9

360

3	7	5	4	2	8	1	9	6
8	1	6	5	9	7	4	3	2
4	2	9	3	6	1	5	8	7
6	5	1	9	8	2	7	4	3
9	4	2	7	1	3	6	5	8
7	8	3	6	4	5	9	2	1
5	6	7	2	3	4	8	1	9
1	3	4	8	7	9	2	6	5
2	9	8	1	5	6	3	7	4

361

6	2	7	1	9	8	5	4	3
3	5	8	6	2	4	7	9	1
9	4	1	7	3	5	6	8	2
1	7	3	5	4	2	8	6	9
8	6	2	3	7	9	4	1	5
4	9	5	8	1	6	2	3	7
2	3	4	9	6	7	1	5	8
7	8	9	4	5	1	3	2	6
5	1	6	2	8	3	9	7	4

362

5	1	7	4	8	6	9	3	2
8	3	2	5	1	9	7	6	4
4	9	6	3	2	7	8	1	5
6	4	8	2	3	1	5	7	9
2	7	3	6	9	5	1	4	8
1	5	9	8	7	4	6	2	3
9	2	5	1	6	3	4	8	7
7	8	1	9	4	2	3	5	6
3	6	4	7	5	8	2	9	1

363

5	7	4	9	6	8	3	1	2
6	3	8	4	2	1	7	5	9
1	9	2	5	7	3	4	8	6
7	2	9	8	4	5	6	3	1
4	6	5	1	3	7	2	9	8
8	1	3	2	9	6	5	4	7
9	4	6	3	8	2	1	7	5
3	5	7	6	1	9	8	2	4
2	8	1	7	5	4	9	6	3

364

2	9	8	6	7	5	4	1	3
3	1	6	8	2	4	7	5	9
4	5	7	3	9	1	6	2	8
1	3	9	2	6	7	5	8	4
8	6	2	4	5	9	1	3	7
5	7	4	1	8	3	9	6	2
7	8	3	5	4	6	2	9	1
9	2	5	7	1	8	3	4	6
6	4	1	9	3	2	8	7	5

365

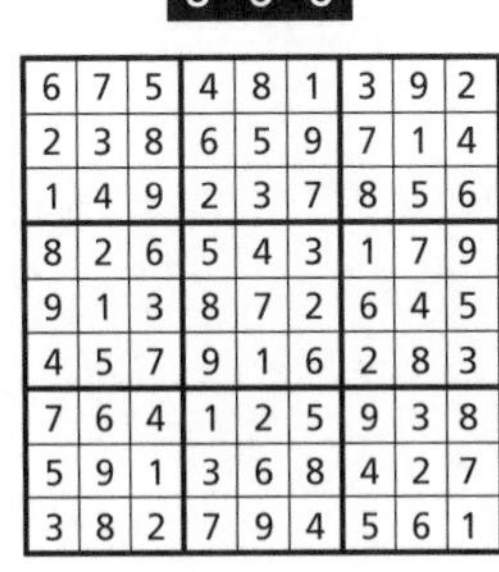

6	7	5	4	8	1	3	9	2
2	3	8	6	5	9	7	1	4
1	4	9	2	3	7	8	5	6
8	2	6	5	4	3	1	7	9
9	1	3	8	7	2	6	4	5
4	5	7	9	1	6	2	8	3
7	6	4	1	2	5	9	3	8
5	9	1	3	6	8	4	2	7
3	8	2	7	9	4	5	6	1

366

3	9	6	5	2	4	8	7	1
4	7	1	8	6	9	3	5	2
5	8	2	3	7	1	6	9	4
8	5	9	6	3	2	1	4	7
7	1	4	9	5	8	2	3	6
2	6	3	1	4	7	5	8	9
9	3	8	7	1	6	4	2	5
1	2	7	4	8	5	9	6	3
6	4	5	2	9	3	7	1	8

367

1	2	8	3	9	7	6	4	5
3	9	5	8	4	6	2	1	7
4	6	7	1	5	2	8	3	9
7	8	9	2	1	4	3	5	6
6	3	2	7	8	5	4	9	1
5	1	4	6	3	9	7	2	8
8	4	3	5	7	1	9	6	2
9	5	6	4	2	8	1	7	3
2	7	1	9	6	3	5	8	4

368

3	7	6	4	2	1	5	8	9
1	8	5	6	3	9	4	7	2
2	9	4	5	8	7	6	3	1
9	4	3	8	5	6	2	1	7
5	2	1	7	4	3	9	6	8
7	6	8	9	1	2	3	4	5
8	3	7	2	9	4	1	5	6
6	1	2	3	7	5	8	9	4
4	5	9	1	6	8	7	2	3

369

3	1	2	8	7	4	9	5	6
4	8	6	5	3	9	7	2	1
7	5	9	6	1	2	3	8	4
5	9	3	2	6	7	4	1	8
2	6	7	4	8	1	5	9	3
8	4	1	9	5	3	6	7	2
1	7	5	3	2	6	8	4	9
9	3	8	1	4	5	2	6	7
6	2	4	7	9	8	1	3	5

370

1	2	5	6	4	3	7	9	8
6	7	8	9	2	5	1	4	3
3	9	4	7	1	8	5	2	6
8	4	2	1	9	7	3	6	5
9	1	7	5	3	6	4	8	2
5	3	6	4	8	2	9	7	1
7	6	3	8	5	4	2	1	9
2	8	9	3	7	1	6	5	4
4	5	1	2	6	9	8	3	7

371

8	2	5	9	6	3	1	7	4
4	3	9	7	2	1	8	5	6
6	7	1	8	5	4	2	3	9
1	5	2	4	7	8	9	6	3
3	6	4	5	9	2	7	8	1
7	9	8	1	3	6	4	2	5
2	1	7	6	4	5	3	9	8
9	4	6	3	8	7	5	1	2
5	8	3	2	1	9	6	4	7

372

8	7	2	9	3	6	1	5	4
5	1	3	8	2	4	9	6	7
6	4	9	7	1	5	2	8	3
9	2	7	5	6	1	4	3	8
3	6	4	2	9	8	5	7	1
1	5	8	4	7	3	6	9	2
2	3	5	1	8	9	7	4	6
7	9	6	3	4	2	8	1	5
4	8	1	6	5	7	3	2	9

373

4	1	3	6	5	9	8	2	7
8	2	7	3	4	1	6	9	5
6	9	5	2	7	8	4	3	1
7	4	6	9	8	2	1	5	3
1	5	9	4	6	3	2	7	8
2	3	8	7	1	5	9	4	6
9	8	4	1	3	7	5	6	2
5	7	2	8	9	6	3	1	4
3	6	1	5	2	4	7	8	9

374

6	5	7	9	2	8	3	1	4
1	2	3	4	6	5	9	8	7
8	4	9	3	7	1	6	2	5
3	7	2	5	4	9	8	6	1
9	6	4	8	1	7	5	3	2
5	1	8	6	3	2	7	4	9
7	3	1	2	9	6	4	5	8
2	8	6	7	5	4	1	9	3
4	9	5	1	8	3	2	7	6

375

1	2	3	7	8	9	5	4	6
9	8	6	4	1	5	3	7	2
5	4	7	3	2	6	1	9	8
2	9	1	6	7	4	8	3	5
3	5	4	8	9	1	6	2	7
7	6	8	5	3	2	9	1	4
4	7	9	1	5	8	2	6	3
6	1	5	2	4	3	7	8	9
8	3	2	9	6	7	4	5	1

376

3	5	7	8	4	6	9	1	2
1	6	2	7	5	9	8	3	4
4	9	8	1	3	2	7	6	5
2	8	4	5	6	7	3	9	1
7	1	5	4	9	3	6	2	8
6	3	9	2	8	1	4	5	7
9	4	1	6	7	5	2	8	3
8	2	6	3	1	4	5	7	9
5	7	3	9	2	8	1	4	6

377

6	7	9	1	3	4	5	2	8
5	3	1	7	8	2	9	6	4
2	8	4	9	5	6	3	1	7
3	2	6	5	1	7	8	4	9
4	9	8	6	2	3	1	7	5
1	5	7	8	4	9	2	3	6
8	6	5	3	7	1	4	9	2
7	4	3	2	9	5	6	8	1
9	1	2	4	6	8	7	5	3

378

9	5	2	7	1	3	8	6	4
6	1	8	2	9	4	3	7	5
4	3	7	5	8	6	2	9	1
1	8	9	6	5	2	7	4	3
7	2	4	1	3	8	6	5	9
5	6	3	4	7	9	1	2	8
2	7	1	3	4	5	9	8	6
8	4	6	9	2	1	5	3	7
3	9	5	8	6	7	4	1	2

379

3	1	5	8	4	9	6	2	7
2	4	9	6	5	7	3	8	1
8	6	7	2	3	1	9	4	5
6	7	3	4	8	2	5	1	9
5	8	1	3	9	6	2	7	4
4	9	2	1	7	5	8	6	3
7	2	8	5	1	3	4	9	6
1	5	6	9	2	4	7	3	8
9	3	4	7	6	8	1	5	2

380

6	3	7	1	9	8	2	5	4
8	1	5	3	2	4	9	7	6
4	2	9	6	7	5	3	8	1
2	7	1	4	3	9	8	6	5
3	5	8	2	1	6	4	9	7
9	6	4	8	5	7	1	3	2
7	9	3	5	4	1	6	2	8
1	8	2	7	6	3	5	4	9
5	4	6	9	8	2	7	1	3

381

9	7	8	6	1	4	3	2	5
1	5	4	3	9	2	6	7	8
3	2	6	7	8	5	1	4	9
6	4	9	1	7	3	5	8	2
5	8	7	2	4	6	9	1	3
2	3	1	9	5	8	4	6	7
8	6	2	5	3	1	7	9	4
4	9	5	8	6	7	2	3	1
7	1	3	4	2	9	8	5	6

382

1	4	8	3	2	6	5	9	7
3	7	5	9	4	1	8	6	2
6	9	2	7	5	8	1	4	3
7	5	6	1	8	9	2	3	4
2	1	9	4	3	7	6	5	8
4	8	3	2	6	5	7	1	9
8	2	1	5	9	4	3	7	6
9	3	7	6	1	2	4	8	5
5	6	4	8	7	3	9	2	1

383

4	5	6	3	2	7	1	9	8
1	8	3	4	6	9	7	2	5
7	2	9	8	1	5	4	3	6
8	1	2	7	9	4	5	6	3
3	7	5	1	8	6	9	4	2
9	6	4	2	5	3	8	7	1
5	4	1	9	3	2	6	8	7
6	3	7	5	4	8	2	1	9
2	9	8	6	7	1	3	5	4

384

6	9	7	3	1	8	2	5	4
8	3	4	6	2	5	1	7	9
5	1	2	4	7	9	3	8	6
2	8	1	9	5	6	7	4	3
4	6	3	2	8	7	5	9	1
9	7	5	1	3	4	6	2	8
1	2	9	7	4	3	8	6	5
3	5	6	8	9	2	4	1	7
7	4	8	5	6	1	9	3	2

385

6	7	3	1	8	2	5	4	9
8	2	9	6	4	5	1	3	7
5	4	1	3	9	7	6	8	2
2	8	4	9	7	1	3	5	6
9	1	6	2	5	3	8	7	4
3	5	7	4	6	8	2	9	1
1	6	5	7	3	9	4	2	8
4	9	8	5	2	6	7	1	3
7	3	2	8	1	4	9	6	5

386

6	2	5	9	4	7	3	1	8
7	4	9	1	3	8	2	5	6
1	3	8	2	5	6	4	7	9
8	9	1	3	7	4	5	6	2
5	7	3	8	6	2	1	9	4
4	6	2	5	1	9	7	8	3
3	1	6	4	9	5	8	2	7
2	5	7	6	8	3	9	4	1
9	8	4	7	2	1	6	3	5

387

7	4	5	8	3	9	1	6	2
3	2	6	4	1	5	7	9	8
9	1	8	7	2	6	5	4	3
4	7	2	6	5	3	9	8	1
6	3	9	2	8	1	4	5	7
8	5	1	9	4	7	2	3	6
1	9	4	3	6	2	8	7	5
5	8	3	1	7	4	6	2	9
2	6	7	5	9	8	3	1	4

388

3	4	1	8	9	6	7	5	2
9	6	8	7	2	5	4	1	3
5	2	7	1	3	4	8	9	6
8	9	3	5	7	2	1	6	4
1	7	6	4	8	3	9	2	5
2	5	4	6	1	9	3	7	8
6	1	9	3	5	8	2	4	7
4	3	2	9	6	7	5	8	1
7	8	5	2	4	1	6	3	9

389

6	1	5	2	4	7	8	3	9
3	8	2	6	9	1	7	5	4
9	7	4	3	8	5	6	2	1
7	2	1	8	6	3	9	4	5
5	9	6	1	7	4	3	8	2
8	4	3	5	2	9	1	7	6
1	6	8	7	5	2	4	9	3
4	5	7	9	3	6	2	1	8
2	3	9	4	1	8	5	6	7

390

6	1	8	2	5	7	3	9	4
9	3	7	8	1	4	5	6	2
4	2	5	6	9	3	8	1	7
5	7	4	3	2	6	1	8	9
2	9	6	7	8	1	4	3	5
1	8	3	9	4	5	2	7	6
7	6	1	5	3	2	9	4	8
8	4	2	1	6	9	7	5	3
3	5	9	4	7	8	6	2	1

391

6	9	7	5	8	2	1	3	4
4	5	3	9	6	1	7	8	2
2	1	8	7	4	3	6	9	5
3	2	4	1	7	5	9	6	8
8	7	5	4	9	6	3	2	1
1	6	9	2	3	8	4	5	7
9	8	2	6	1	4	5	7	3
7	3	1	8	5	9	2	4	6
5	4	6	3	2	7	8	1	9

392

8	5	1	3	9	4	6	7	2
4	3	9	6	7	2	5	1	8
2	7	6	1	8	5	3	4	9
3	4	7	2	5	8	1	9	6
1	2	5	9	6	3	7	8	4
9	6	8	4	1	7	2	3	5
7	9	3	8	2	6	4	5	1
5	8	2	7	4	1	9	6	3
6	1	4	5	3	9	8	2	7

393

2	1	5	8	4	3	7	6	9
8	9	3	2	7	6	4	5	1
7	4	6	5	9	1	2	3	8
3	7	9	1	6	8	5	4	2
5	6	2	4	3	9	1	8	7
1	8	4	7	5	2	3	9	6
4	5	8	6	2	7	9	1	3
9	2	1	3	8	4	6	7	5
6	3	7	9	1	5	8	2	4

394

4	8	5	1	7	9	6	3	2
6	7	3	8	4	2	5	1	9
2	9	1	3	6	5	7	8	4
3	1	6	5	9	4	2	7	8
9	2	7	6	8	3	4	5	1
8	5	4	7	2	1	9	6	3
5	4	8	9	1	6	3	2	7
7	6	2	4	3	8	1	9	5
1	3	9	2	5	7	8	4	6

395

2	7	6	4	1	8	3	5	9
9	4	8	7	3	5	2	1	6
1	5	3	6	2	9	4	7	8
7	1	2	9	5	6	8	4	3
4	3	5	2	8	7	6	9	1
6	8	9	3	4	1	7	2	5
5	6	7	8	9	4	1	3	2
3	9	4	1	6	2	5	8	7
8	2	1	5	7	3	9	6	4

396

7	5	3	8	9	2	4	6	1
4	9	1	7	6	3	2	5	8
8	2	6	1	4	5	3	9	7
3	8	2	5	7	4	6	1	9
6	4	9	2	1	8	5	7	3
1	7	5	6	3	9	8	2	4
2	3	8	9	5	1	7	4	6
9	6	4	3	2	7	1	8	5
5	1	7	4	8	6	9	3	2

397

4	7	6	9	3	8	5	2	1
5	9	1	2	7	4	6	3	8
8	3	2	5	6	1	4	7	9
1	4	7	8	2	5	3	9	6
9	8	5	6	1	3	2	4	7
6	2	3	4	9	7	1	8	5
2	6	4	1	8	9	7	5	3
7	5	8	3	4	6	9	1	2
3	1	9	7	5	2	8	6	4

398

8	4	7	2	9	5	3	6	1
6	2	5	4	1	3	9	8	7
9	3	1	8	6	7	2	5	4
4	7	8	9	3	1	5	2	6
1	9	2	6	5	4	8	7	3
3	5	6	7	8	2	1	4	9
2	6	9	1	7	8	4	3	5
7	8	3	5	4	9	6	1	2
5	1	4	3	2	6	7	9	8

399

3	2	5	7	6	1	4	9	8
6	4	7	2	8	9	3	1	5
1	8	9	3	4	5	7	2	6
2	1	3	9	5	7	6	8	4
5	9	6	4	3	8	1	7	2
8	7	4	1	2	6	9	5	3
7	5	8	6	1	4	2	3	9
9	6	2	8	7	3	5	4	1
4	3	1	5	9	2	8	6	7

400

3	5	2	9	8	1	6	4	7
8	4	6	3	7	2	5	1	9
9	1	7	4	6	5	2	3	8
4	6	1	2	9	3	8	7	5
7	8	3	6	5	4	9	2	1
2	9	5	7	1	8	3	6	4
1	3	8	5	2	7	4	9	6
5	2	9	1	4	6	7	8	3
6	7	4	8	3	9	1	5	2

401

5	8	3	6	1	7	2	9	4
9	1	7	4	3	2	6	8	5
4	2	6	9	8	5	3	7	1
6	3	9	5	4	1	8	2	7
8	7	4	2	9	6	5	1	3
2	5	1	8	7	3	9	4	6
3	6	8	7	2	4	1	5	9
7	9	5	1	6	8	4	3	2
1	4	2	3	5	9	7	6	8

402

6	8	1	7	5	4	3	9	2
2	4	7	3	1	9	5	8	6
5	3	9	6	2	8	1	4	7
8	7	3	1	4	2	9	6	5
9	5	4	8	6	3	2	7	1
1	6	2	5	9	7	8	3	4
3	9	6	2	7	5	4	1	8
7	2	8	4	3	1	6	5	9
4	1	5	9	8	6	7	2	3

403

5	7	4	1	8	2	3	6	9
3	9	6	4	7	5	8	1	2
2	8	1	9	3	6	5	7	4
8	4	9	5	6	3	1	2	7
7	3	5	2	9	1	4	8	6
6	1	2	8	4	7	9	5	3
1	5	3	6	2	4	7	9	8
9	6	7	3	5	8	2	4	1
4	2	8	7	1	9	6	3	5

404

2	7	3	9	4	6	1	8	5
5	4	8	3	7	1	2	6	9
9	6	1	2	5	8	7	3	4
3	1	5	7	6	9	8	4	2
6	8	9	4	3	2	5	7	1
4	2	7	8	1	5	6	9	3
1	9	2	6	8	4	3	5	7
8	3	4	5	2	7	9	1	6
7	5	6	1	9	3	4	2	8

405

5	6	7	3	4	1	2	8	9
9	3	8	6	2	5	4	1	7
4	2	1	7	9	8	5	3	6
2	4	9	8	6	3	7	5	1
6	7	5	2	1	9	8	4	3
1	8	3	4	5	7	9	6	2
7	5	4	9	3	6	1	2	8
8	1	6	5	7	2	3	9	4
3	9	2	1	8	4	6	7	5

406

5	6	2	1	4	8	7	9	3
9	8	7	5	6	3	1	4	2
3	1	4	2	9	7	8	5	6
6	9	5	4	1	2	3	7	8
4	7	8	3	5	6	9	2	1
1	2	3	8	7	9	5	6	4
8	5	1	9	2	4	6	3	7
2	3	6	7	8	5	4	1	9
7	4	9	6	3	1	2	8	5

407

4	5	8	7	9	3	6	1	2
1	3	6	4	5	2	9	7	8
7	9	2	1	8	6	4	3	5
6	2	7	5	4	9	3	8	1
5	1	4	8	3	7	2	6	9
9	8	3	6	2	1	5	4	7
3	4	9	2	7	8	1	5	6
2	7	1	3	6	5	8	9	4
8	6	5	9	1	4	7	2	3

408

1	3	5	2	9	6	8	4	7
9	6	4	5	8	7	1	3	2
7	2	8	4	3	1	9	6	5
2	7	1	9	4	3	6	5	8
3	8	6	7	5	2	4	1	9
5	4	9	1	6	8	7	2	3
6	1	7	8	2	5	3	9	4
8	9	2	3	1	4	5	7	6
4	5	3	6	7	9	2	8	1

409

8	4	2	3	1	6	7	9	5
1	7	5	9	8	2	3	6	4
9	3	6	7	5	4	8	2	1
4	5	8	6	2	1	9	3	7
2	1	7	8	9	3	5	4	6
3	6	9	5	4	7	1	8	2
6	8	4	1	3	5	2	7	9
5	2	3	4	7	9	6	1	8
7	9	1	2	6	8	4	5	3

410

9	3	1	2	5	8	6	4	7
6	4	7	9	3	1	2	5	8
5	2	8	7	4	6	3	9	1
7	9	6	3	2	4	8	1	5
3	5	2	8	1	7	4	6	9
1	8	4	5	6	9	7	2	3
2	1	5	6	8	3	9	7	4
4	7	3	1	9	2	5	8	6
8	6	9	4	7	5	1	3	2

411

5	3	7	8	9	4	1	6	2
8	6	2	5	7	1	3	4	9
9	1	4	3	2	6	5	8	7
6	7	1	2	4	8	9	5	3
2	9	3	7	6	5	8	1	4
4	5	8	9	1	3	7	2	6
3	2	5	6	8	7	4	9	1
7	4	6	1	5	9	2	3	8
1	8	9	4	3	2	6	7	5

412

9	1	3	2	8	5	7	4	6
8	7	5	4	6	3	2	9	1
6	2	4	1	9	7	5	8	3
7	3	9	6	2	4	1	5	8
5	8	1	7	3	9	4	6	2
4	6	2	8	5	1	9	3	7
1	4	6	5	7	8	3	2	9
3	5	8	9	1	2	6	7	4
2	9	7	3	4	6	8	1	5

413

4	5	6	1	9	7	2	8	3
3	1	7	5	2	8	9	6	4
8	9	2	6	4	3	7	1	5
5	6	3	2	1	4	8	9	7
7	4	1	8	6	9	3	5	2
9	2	8	3	7	5	1	4	6
2	3	9	4	5	1	6	7	8
6	7	5	9	8	2	4	3	1
1	8	4	7	3	6	5	2	9

414

7	6	3	2	5	8	4	1	9
9	5	8	7	1	4	3	2	6
1	2	4	9	6	3	7	5	8
4	7	6	8	2	5	9	3	1
8	9	2	6	3	1	5	4	7
5	3	1	4	9	7	6	8	2
3	1	9	5	8	6	2	7	4
6	8	7	3	4	2	1	9	5
2	4	5	1	7	9	8	6	3

415

4	1	3	6	9	5	7	8	2
6	5	9	8	7	2	1	4	3
7	8	2	4	1	3	9	5	6
8	4	7	1	2	9	6	3	5
1	2	5	7	3	6	8	9	4
9	3	6	5	4	8	2	7	1
5	7	1	9	6	4	3	2	8
2	9	8	3	5	1	4	6	7
3	6	4	2	8	7	5	1	9

416

7	5	2	8	4	1	9	6	3
6	1	4	9	5	3	7	2	8
3	8	9	2	6	7	1	4	5
8	4	5	7	3	6	2	9	1
2	6	1	4	8	9	3	5	7
9	3	7	1	2	5	6	8	4
5	7	8	6	1	2	4	3	9
1	2	3	5	9	4	8	7	6
4	9	6	3	7	8	5	1	2

417

5	7	3	2	9	4	8	1	6
1	2	4	5	8	6	9	7	3
9	6	8	7	1	3	4	5	2
7	1	2	6	3	9	5	4	8
8	5	6	1	4	2	7	3	9
4	3	9	8	5	7	6	2	1
2	9	1	4	6	5	3	8	7
3	4	7	9	2	8	1	6	5
6	8	5	3	7	1	2	9	4

418

4	2	7	9	8	1	6	3	5
9	8	3	5	4	6	2	1	7
6	1	5	7	2	3	4	8	9
1	7	4	3	9	5	8	6	2
3	9	8	1	6	2	5	7	4
2	5	6	4	7	8	3	9	1
7	4	2	8	3	9	1	5	6
5	3	9	6	1	4	7	2	8
8	6	1	2	5	7	9	4	3

419

4	2	8	5	7	3	6	1	9
6	5	3	2	9	1	4	7	8
1	7	9	6	8	4	3	2	5
2	1	5	7	6	8	9	3	4
3	4	6	9	1	5	7	8	2
9	8	7	3	4	2	1	5	6
7	9	1	8	5	6	2	4	3
5	3	4	1	2	9	8	6	7
8	6	2	4	3	7	5	9	1

420

4	9	1	7	3	6	5	8	2
7	6	8	4	2	5	3	1	9
2	5	3	9	1	8	4	7	6
9	2	5	1	8	4	7	6	3
1	4	7	2	6	3	8	9	5
8	3	6	5	7	9	1	2	4
5	8	4	6	9	1	2	3	7
3	7	9	8	5	2	6	4	1
6	1	2	3	4	7	9	5	8

421

8	4	3	1	7	5	6	9	2
6	1	7	2	3	9	5	4	8
9	5	2	8	4	6	1	7	3
4	8	1	3	5	2	7	6	9
5	2	6	4	9	7	3	8	1
7	3	9	6	1	8	4	2	5
2	7	5	9	6	1	8	3	4
3	6	8	5	2	4	9	1	7
1	9	4	7	8	3	2	5	6

422

8	6	1	4	5	2	7	3	9
7	5	2	6	9	3	1	8	4
3	9	4	1	7	8	5	6	2
6	4	3	2	1	5	8	9	7
9	1	8	7	4	6	3	2	5
2	7	5	8	3	9	4	1	6
1	2	9	5	8	7	6	4	3
5	8	6	3	2	4	9	7	1
4	3	7	9	6	1	2	5	8

423

6	5	3	7	2	8	1	4	9
8	7	4	1	9	3	2	5	6
2	1	9	6	5	4	8	7	3
1	2	8	4	6	9	7	3	5
4	9	7	8	3	5	6	2	1
5	3	6	2	1	7	4	9	8
7	6	5	9	4	1	3	8	2
3	4	2	5	8	6	9	1	7
9	8	1	3	7	2	5	6	4

424

8	9	5	7	2	4	1	6	3
2	4	3	5	6	1	8	9	7
7	6	1	3	9	8	5	4	2
4	8	7	1	5	9	2	3	6
1	5	2	6	3	7	9	8	4
6	3	9	4	8	2	7	1	5
9	2	6	8	7	3	4	5	1
5	7	4	9	1	6	3	2	8
3	1	8	2	4	5	6	7	9

425

1	3	7	8	5	4	2	6	9
8	5	6	9	1	2	7	4	3
9	2	4	7	3	6	5	1	8
2	1	9	6	7	3	8	5	4
6	8	5	1	4	9	3	7	2
4	7	3	2	8	5	6	9	1
5	6	1	3	9	8	4	2	7
3	9	2	4	6	7	1	8	5
7	4	8	5	2	1	9	3	6

426

5	9	4	6	2	8	7	1	3
2	6	1	7	9	3	5	8	4
3	7	8	5	1	4	9	2	6
1	3	7	9	8	6	4	5	2
9	2	5	4	7	1	6	3	8
8	4	6	3	5	2	1	9	7
7	5	2	8	4	9	3	6	1
6	1	9	2	3	7	8	4	5
4	8	3	1	6	5	2	7	9

427

3	4	9	6	8	7	2	1	5
6	2	8	1	4	5	3	9	7
7	1	5	2	3	9	6	4	8
5	9	2	4	1	8	7	6	3
8	3	6	7	9	2	1	5	4
1	7	4	3	5	6	9	8	2
4	5	7	9	2	1	8	3	6
2	8	1	5	6	3	4	7	9
9	6	3	8	7	4	5	2	1

428

2	7	5	4	1	3	6	9	8
9	8	1	5	2	6	7	4	3
3	6	4	9	8	7	1	2	5
6	4	2	3	7	8	5	1	9
5	3	8	2	9	1	4	6	7
7	1	9	6	5	4	3	8	2
1	9	6	8	3	5	2	7	4
8	5	7	1	4	2	9	3	6
4	2	3	7	6	9	8	5	1

429

1	6	2	8	5	3	4	7	9
9	7	3	6	4	2	1	8	5
5	8	4	9	1	7	3	2	6
3	1	8	7	6	4	9	5	2
6	9	5	2	3	1	7	4	8
2	4	7	5	9	8	6	1	3
7	2	1	3	8	9	5	6	4
8	3	6	4	7	5	2	9	1
4	5	9	1	2	6	8	3	7

430

4	1	6	7	3	8	5	2	9
9	8	3	6	5	2	4	7	1
7	2	5	4	1	9	8	3	6
5	6	7	3	8	4	1	9	2
3	9	8	5	2	1	7	6	4
2	4	1	9	6	7	3	8	5
6	7	2	1	4	3	9	5	8
1	5	9	8	7	6	2	4	3
8	3	4	2	9	5	6	1	7

431

8	3	4	9	1	7	2	5	6
7	1	2	4	5	6	8	9	3
5	9	6	8	3	2	1	7	4
9	8	5	2	6	4	3	1	7
2	6	7	1	8	3	5	4	9
1	4	3	7	9	5	6	2	8
6	7	8	5	2	9	4	3	1
4	5	1	3	7	8	9	6	2
3	2	9	6	4	1	7	8	5

432

9	6	4	2	3	8	7	1	5
2	8	5	9	7	1	6	4	3
1	7	3	6	5	4	8	9	2
5	9	6	7	4	2	3	8	1
4	1	8	5	6	3	2	7	9
7	3	2	1	8	9	4	5	6
8	4	9	3	2	5	1	6	7
6	2	1	8	9	7	5	3	4
3	5	7	4	1	6	9	2	8

433

8	2	1	7	4	3	6	5	9
4	5	7	8	6	9	2	3	1
3	9	6	1	2	5	8	7	4
6	8	9	2	5	1	3	4	7
2	7	4	9	3	8	1	6	5
5	1	3	6	7	4	9	2	8
7	4	8	3	9	2	5	1	6
9	3	5	4	1	6	7	8	2
1	6	2	5	8	7	4	9	3

434

4	5	3	1	9	2	8	6	7
6	9	2	8	4	7	5	1	3
1	8	7	3	5	6	9	4	2
5	3	8	4	7	1	6	2	9
9	1	4	6	2	3	7	5	8
2	7	6	5	8	9	1	3	4
8	2	5	9	1	4	3	7	6
3	4	9	7	6	5	2	8	1
7	6	1	2	3	8	4	9	5

435

5	7	1	9	8	3	6	4	2
9	4	3	1	2	6	5	8	7
8	6	2	7	5	4	1	3	9
6	9	4	5	7	8	2	1	3
2	1	5	4	3	9	8	7	6
7	3	8	2	6	1	4	9	5
1	5	7	8	9	2	3	6	4
4	2	6	3	1	7	9	5	8
3	8	9	6	4	5	7	2	1

436

1	3	8	5	9	7	4	6	2
6	4	7	8	1	2	5	9	3
9	5	2	4	6	3	1	8	7
4	8	6	2	7	5	3	1	9
2	1	9	3	4	6	8	7	5
5	7	3	1	8	9	6	2	4
8	6	5	7	2	4	9	3	1
7	9	4	6	3	1	2	5	8
3	2	1	9	5	8	7	4	6

437

3	1	6	2	8	5	9	4	7
7	2	4	9	3	1	8	5	6
8	5	9	7	4	6	2	3	1
1	3	8	4	2	7	5	6	9
6	7	2	5	1	9	4	8	3
4	9	5	3	6	8	7	1	2
5	6	7	1	9	4	3	2	8
9	8	3	6	5	2	1	7	4
2	4	1	8	7	3	6	9	5

438

6	9	5	8	1	3	4	7	2
3	8	1	7	4	2	5	9	6
2	7	4	6	9	5	3	8	1
1	3	9	5	7	6	2	4	8
8	6	7	1	2	4	9	5	3
5	4	2	3	8	9	1	6	7
9	1	6	4	3	7	8	2	5
7	2	8	9	5	1	6	3	4
4	5	3	2	6	8	7	1	9

439

8	5	3	7	2	9	6	1	4
7	6	4	1	3	5	9	8	2
1	2	9	8	4	6	3	5	7
9	3	6	4	8	7	1	2	5
4	1	5	3	9	2	8	7	6
2	8	7	5	6	1	4	3	9
5	4	2	9	1	3	7	6	8
6	9	1	2	7	8	5	4	3
3	7	8	6	5	4	2	9	1

440

8	2	1	3	7	4	9	6	5
7	5	9	2	8	6	1	3	4
6	4	3	9	5	1	2	7	8
3	6	8	7	4	2	5	9	1
2	9	5	6	1	3	8	4	7
4	1	7	5	9	8	3	2	6
1	8	2	4	3	7	6	5	9
9	3	4	1	6	5	7	8	2
5	7	6	8	2	9	4	1	3

441

3	5	8	7	4	9	1	6	2
2	6	7	3	8	1	4	9	5
1	4	9	5	2	6	3	7	8
6	7	4	2	5	8	9	3	1
8	3	1	4	9	7	2	5	6
9	2	5	1	6	3	8	4	7
4	9	2	8	7	5	6	1	3
7	1	6	9	3	2	5	8	4
5	8	3	6	1	4	7	2	9

442

1	2	3	7	4	8	5	6	9
6	5	7	1	3	9	8	4	2
8	9	4	2	5	6	3	1	7
7	4	8	6	9	5	1	2	3
3	1	2	4	8	7	9	5	6
9	6	5	3	2	1	7	8	4
2	3	1	8	7	4	6	9	5
4	8	9	5	6	3	2	7	1
5	7	6	9	1	2	4	3	8

443

5	2	4	6	3	9	8	7	1
8	3	1	4	7	5	9	2	6
6	9	7	2	8	1	5	3	4
3	7	6	1	5	2	4	8	9
4	8	5	3	9	7	6	1	2
2	1	9	8	4	6	7	5	3
7	5	3	9	1	4	2	6	8
9	6	8	5	2	3	1	4	7
1	4	2	7	6	8	3	9	5

444

7	5	4	9	3	2	8	6	1
9	1	3	4	6	8	5	2	7
2	8	6	5	1	7	4	3	9
5	9	8	2	7	4	6	1	3
3	7	1	8	9	6	2	4	5
6	4	2	1	5	3	7	9	8
4	3	9	6	8	5	1	7	2
1	2	5	7	4	9	3	8	6
8	6	7	3	2	1	9	5	4

445

8	2	9	1	6	4	5	7	3
5	4	1	7	3	9	8	2	6
3	6	7	8	2	5	9	1	4
1	5	4	9	7	2	6	3	8
7	8	6	5	1	3	4	9	2
9	3	2	6	4	8	1	5	7
2	9	3	4	8	1	7	6	5
6	1	8	2	5	7	3	4	9
4	7	5	3	9	6	2	8	1

446

8	9	7	5	3	1	2	6	4
5	6	4	7	2	8	1	9	3
3	2	1	6	9	4	8	5	7
9	5	8	1	7	6	4	3	2
2	7	3	8	4	9	5	1	6
4	1	6	2	5	3	7	8	9
1	8	2	9	6	7	3	4	5
6	3	5	4	1	2	9	7	8
7	4	9	3	8	5	6	2	1

447

1	3	7	9	6	5	8	4	2
8	4	9	1	7	2	5	6	3
5	2	6	4	3	8	1	7	9
2	1	5	8	4	3	7	9	6
3	9	8	7	2	6	4	1	5
7	6	4	5	1	9	3	2	8
9	7	3	6	8	4	2	5	1
4	5	2	3	9	1	6	8	7
6	8	1	2	5	7	9	3	4

448

3	5	2	8	4	6	1	7	9
9	8	1	5	2	7	4	3	6
6	4	7	9	3	1	5	8	2
4	2	3	7	5	9	6	1	8
7	9	8	1	6	3	2	4	5
1	6	5	4	8	2	3	9	7
2	7	9	3	1	5	8	6	4
5	1	4	6	7	8	9	2	3
8	3	6	2	9	4	7	5	1

449

9	5	2	4	7	8	1	3	6
1	8	7	2	3	6	5	4	9
4	6	3	9	5	1	2	7	8
5	9	4	3	6	2	7	8	1
8	2	6	1	4	7	3	9	5
7	3	1	8	9	5	4	6	2
3	4	5	6	2	9	8	1	7
2	1	9	7	8	3	6	5	4
6	7	8	5	1	4	9	2	3

450

6	7	2	8	5	3	9	4	1
4	3	1	9	7	6	5	2	8
8	9	5	4	1	2	6	3	7
5	8	9	1	4	7	2	6	3
7	1	3	6	2	5	4	8	9
2	6	4	3	9	8	7	1	5
3	4	7	5	6	1	8	9	2
1	5	6	2	8	9	3	7	4
9	2	8	7	3	4	1	5	6

451

3	6	2	8	9	4	1	7	5
5	9	4	6	7	1	8	3	2
8	1	7	2	3	5	4	6	9
7	4	9	5	8	6	2	1	3
6	3	8	9	1	2	5	4	7
1	2	5	7	4	3	9	8	6
9	8	6	4	2	7	3	5	1
2	7	1	3	5	8	6	9	4
4	5	3	1	6	9	7	2	8

452

6	8	9	2	1	3	5	4	7
4	3	1	6	5	7	9	8	2
2	5	7	8	9	4	3	6	1
3	6	5	4	8	1	2	7	9
7	2	8	5	3	9	6	1	4
1	9	4	7	2	6	8	3	5
5	7	2	1	6	8	4	9	3
8	1	3	9	4	5	7	2	6
9	4	6	3	7	2	1	5	8

453

7	3	6	8	2	5	1	4	9
9	4	8	7	6	1	5	3	2
1	5	2	4	3	9	7	6	8
8	1	7	3	9	6	4	2	5
3	2	4	5	8	7	9	1	6
6	9	5	2	1	4	3	8	7
5	6	1	9	4	8	2	7	3
2	8	9	1	7	3	6	5	4
4	7	3	6	5	2	8	9	1

454

2	9	4	8	5	6	3	7	1
1	5	6	9	7	3	8	2	4
8	3	7	2	1	4	5	9	6
6	7	5	3	9	8	4	1	2
4	2	8	1	6	7	9	3	5
3	1	9	4	2	5	7	6	8
7	6	2	5	8	9	1	4	3
9	8	3	6	4	1	2	5	7
5	4	1	7	3	2	6	8	9

455

8	6	3	2	4	7	9	1	5
1	5	7	8	3	9	6	2	4
4	9	2	5	6	1	7	3	8
3	8	1	9	7	2	4	5	6
2	4	9	6	1	5	8	7	3
6	7	5	4	8	3	1	9	2
5	1	8	7	2	4	3	6	9
7	2	6	3	9	8	5	4	1
9	3	4	1	5	6	2	8	7

456

5	8	7	2	6	9	3	4	1
3	9	1	5	4	8	2	6	7
4	6	2	1	7	3	9	5	8
8	4	3	6	2	5	7	1	9
7	5	9	8	1	4	6	2	3
1	2	6	9	3	7	5	8	4
2	3	5	4	9	1	8	7	6
6	7	4	3	8	2	1	9	5
9	1	8	7	5	6	4	3	2

457

1	9	5	7	6	3	8	4	2
4	2	7	5	1	8	3	6	9
8	6	3	4	9	2	5	7	1
7	1	4	2	3	5	9	8	6
2	5	6	8	7	9	1	3	4
9	3	8	6	4	1	2	5	7
3	4	1	9	8	7	6	2	5
5	7	9	3	2	6	4	1	8
6	8	2	1	5	4	7	9	3

458

2	4	3	1	6	8	9	5	7
7	1	9	5	2	4	6	8	3
5	8	6	9	3	7	2	4	1
8	2	1	7	5	3	4	6	9
6	5	7	4	1	9	8	3	2
3	9	4	6	8	2	1	7	5
4	3	2	8	7	1	5	9	6
1	6	8	3	9	5	7	2	4
9	7	5	2	4	6	3	1	8

459

2	6	3	8	9	5	4	7	1
1	7	8	6	3	4	2	5	9
4	9	5	2	7	1	6	3	8
3	4	7	5	2	9	8	1	6
8	5	9	3	1	6	7	4	2
6	2	1	7	4	8	5	9	3
5	3	2	9	6	7	1	8	4
7	1	6	4	8	3	9	2	5
9	8	4	1	5	2	3	6	7

460

4	9	8	3	2	5	7	6	1
5	6	7	9	8	1	2	4	3
2	3	1	7	4	6	5	8	9
8	7	5	6	3	4	1	9	2
1	2	9	5	7	8	6	3	4
3	4	6	2	1	9	8	7	5
6	1	2	8	9	3	4	5	7
9	8	4	1	5	7	3	2	6
7	5	3	4	6	2	9	1	8

461

4	7	2	1	8	3	6	9	5
3	5	8	9	2	6	7	4	1
1	6	9	7	5	4	2	8	3
6	2	4	3	9	7	1	5	8
5	8	7	2	4	1	3	6	9
9	1	3	5	6	8	4	2	7
8	9	1	4	7	2	5	3	6
2	3	5	6	1	9	8	7	4
7	4	6	8	3	5	9	1	2

462

3	9	6	1	4	8	2	7	5
1	8	4	2	7	5	9	3	6
7	5	2	9	3	6	8	4	1
5	7	8	6	1	3	4	2	9
4	6	9	5	8	2	7	1	3
2	1	3	4	9	7	5	6	8
9	2	7	8	6	1	3	5	4
6	4	5	3	2	9	1	8	7
8	3	1	7	5	4	6	9	2

463

2	1	6	9	3	7	8	5	4
9	7	3	8	5	4	2	6	1
4	5	8	2	6	1	7	9	3
3	9	7	1	2	5	6	4	8
5	2	4	7	8	6	3	1	9
6	8	1	3	4	9	5	7	2
7	4	2	6	9	3	1	8	5
1	3	9	5	7	8	4	2	6
8	6	5	4	1	2	9	3	7

464

1	8	7	4	3	6	5	2	9
6	4	3	2	9	5	1	8	7
2	9	5	8	1	7	6	3	4
5	6	4	9	8	1	3	7	2
9	2	8	6	7	3	4	1	5
7	3	1	5	2	4	9	6	8
8	5	2	1	6	9	7	4	3
4	7	6	3	5	2	8	9	1
3	1	9	7	4	8	2	5	6

465

3	8	5	9	7	4	6	2	1
2	1	7	3	6	5	4	9	8
4	6	9	2	8	1	7	5	3
6	4	8	7	5	2	1	3	9
9	3	2	6	1	8	5	7	4
5	7	1	4	9	3	8	6	2
1	9	4	5	2	7	3	8	6
7	2	3	8	4	6	9	1	5
8	5	6	1	3	9	2	4	7

466

1	8	3	7	6	5	2	9	4
6	9	7	1	4	2	3	8	5
5	2	4	3	8	9	1	7	6
7	3	5	9	1	6	4	2	8
2	4	6	8	7	3	5	1	9
9	1	8	2	5	4	6	3	7
3	6	9	4	2	7	8	5	1
8	5	2	6	9	1	7	4	3
4	7	1	5	3	8	9	6	2

467

8	3	9	1	4	6	5	7	2
1	5	7	2	9	8	3	4	6
4	6	2	3	5	7	9	8	1
3	4	6	8	2	9	1	5	7
9	2	1	4	7	5	8	6	3
5	7	8	6	1	3	4	2	9
6	8	5	9	3	2	7	1	4
2	1	3	7	8	4	6	9	5
7	9	4	5	6	1	2	3	8

468

8	6	4	3	1	7	9	5	2
3	5	2	6	8	9	7	4	1
1	7	9	2	5	4	8	6	3
9	3	8	1	6	5	2	7	4
7	2	6	8	4	3	5	1	9
4	1	5	7	9	2	3	8	6
2	9	1	4	7	8	6	3	5
6	8	3	5	2	1	4	9	7
5	4	7	9	3	6	1	2	8

469

1	7	6	4	9	8	3	5	2
9	4	2	3	6	5	1	8	7
8	3	5	7	1	2	9	4	6
3	9	4	5	2	7	6	1	8
6	2	1	9	8	4	5	7	3
7	5	8	1	3	6	4	2	9
4	8	7	6	5	9	2	3	1
5	6	3	2	7	1	8	9	4
2	1	9	8	4	3	7	6	5

470

3	9	4	6	1	2	8	5	7
5	7	2	4	3	8	6	1	9
6	1	8	5	7	9	4	3	2
7	2	6	8	4	5	3	9	1
9	8	1	3	6	7	5	2	4
4	3	5	9	2	1	7	8	6
8	5	7	1	9	4	2	6	3
2	6	9	7	8	3	1	4	5
1	4	3	2	5	6	9	7	8

471

5	8	6	1	9	7	3	4	2
3	7	9	5	2	4	6	1	8
1	4	2	3	6	8	9	5	7
2	3	1	9	4	6	8	7	5
7	9	5	2	8	1	4	6	3
4	6	8	7	3	5	1	2	9
6	5	7	8	1	3	2	9	4
9	1	3	4	5	2	7	8	6
8	2	4	6	7	9	5	3	1

472

5	8	6	9	1	7	3	4	2
4	1	7	8	3	2	9	6	5
3	2	9	4	6	5	1	7	8
6	5	3	1	4	9	2	8	7
7	4	2	3	5	8	6	9	1
8	9	1	7	2	6	5	3	4
2	7	8	5	9	3	4	1	6
1	3	5	6	8	4	7	2	9
9	6	4	2	7	1	8	5	3

473

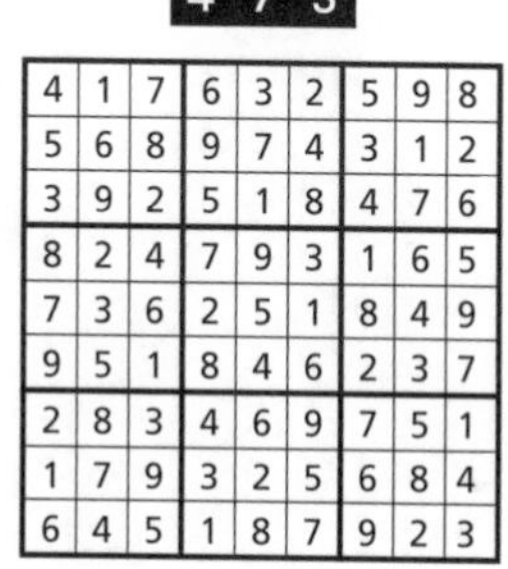

4	1	7	6	3	2	5	9	8
5	6	8	9	7	4	3	1	2
3	9	2	5	1	8	4	7	6
8	2	4	7	9	3	1	6	5
7	3	6	2	5	1	8	4	9
9	5	1	8	4	6	2	3	7
2	8	3	4	6	9	7	5	1
1	7	9	3	2	5	6	8	4
6	4	5	1	8	7	9	2	3

474

5	8	6	7	1	3	9	2	4
2	7	1	5	4	9	8	6	3
4	9	3	8	6	2	7	5	1
3	5	9	2	7	6	1	4	8
7	4	2	3	8	1	6	9	5
1	6	8	9	5	4	2	3	7
6	1	5	4	2	8	3	7	9
8	3	7	6	9	5	4	1	2
9	2	4	1	3	7	5	8	6

475

4	3	5	2	7	6	1	9	8
9	8	2	4	3	1	5	7	6
7	6	1	8	9	5	2	3	4
1	2	8	7	5	3	4	6	9
5	4	9	1	6	8	7	2	3
3	7	6	9	2	4	8	5	1
6	1	3	5	4	7	9	8	2
8	9	7	6	1	2	3	4	5
2	5	4	3	8	9	6	1	7

476

8	5	7	9	6	1	3	2	4
2	1	4	7	5	3	9	8	6
9	6	3	2	8	4	7	1	5
7	2	9	3	4	8	6	5	1
1	4	5	6	2	7	8	9	3
6	3	8	1	9	5	2	4	7
4	8	2	5	7	6	1	3	9
5	7	1	8	3	9	4	6	2
3	9	6	4	1	2	5	7	8

477

1	3	7	8	6	4	2	5	9
8	2	9	7	5	1	6	4	3
4	6	5	3	2	9	7	8	1
2	9	4	5	8	7	3	1	6
5	1	8	6	9	3	4	7	2
6	7	3	1	4	2	8	9	5
7	4	1	9	3	6	5	2	8
3	5	2	4	1	8	9	6	7
9	8	6	2	7	5	1	3	4

478

2	6	5	9	8	1	7	3	4
9	1	3	4	2	7	5	6	8
8	7	4	5	6	3	2	1	9
6	2	7	3	9	4	8	5	1
4	8	1	7	5	2	3	9	6
5	3	9	8	1	6	4	7	2
3	4	6	2	7	9	1	8	5
7	9	8	1	4	5	6	2	3
1	5	2	6	3	8	9	4	7

479

2	7	8	5	4	9	6	3	1
3	9	4	1	6	8	7	5	2
5	1	6	7	3	2	9	8	4
8	2	3	4	5	7	1	9	6
7	4	5	9	1	6	8	2	3
9	6	1	8	2	3	5	4	7
4	3	7	6	8	5	2	1	9
6	5	2	3	9	1	4	7	8
1	8	9	2	7	4	3	6	5

480

8	4	1	2	5	9	7	3	6
2	3	7	4	1	6	9	5	8
6	5	9	3	8	7	4	1	2
9	2	8	5	7	4	3	6	1
4	1	3	9	6	8	5	2	7
5	7	6	1	3	2	8	9	4
7	6	2	8	9	3	1	4	5
1	9	4	7	2	5	6	8	3
3	8	5	6	4	1	2	7	9

481

5	8	3	6	1	4	9	2	7
4	1	2	8	9	7	5	3	6
6	7	9	2	3	5	1	4	8
1	6	4	9	8	3	2	7	5
7	9	5	4	2	6	3	8	1
2	3	8	7	5	1	4	6	9
9	4	6	1	7	2	8	5	3
8	5	7	3	4	9	6	1	2
3	2	1	5	6	8	7	9	4

482

4	8	7	6	3	9	1	2	5
2	1	9	7	8	5	4	6	3
6	3	5	2	1	4	8	9	7
1	7	6	9	4	3	2	5	8
9	2	8	1	5	7	3	4	6
3	5	4	8	6	2	7	1	9
8	6	3	5	2	1	9	7	4
7	4	1	3	9	6	5	8	2
5	9	2	4	7	8	6	3	1

483

4	1	7	6	5	8	9	3	2
9	3	6	1	4	2	7	5	8
8	5	2	3	7	9	6	1	4
1	8	4	2	9	5	3	7	6
5	2	3	8	6	7	4	9	1
7	6	9	4	3	1	2	8	5
6	4	8	7	1	3	5	2	9
3	9	1	5	2	4	8	6	7
2	7	5	9	8	6	1	4	3

484

9	1	8	3	7	4	5	6	2
7	2	4	6	8	5	3	9	1
5	6	3	9	2	1	8	4	7
4	9	2	8	3	6	7	1	5
6	3	1	7	5	9	4	2	8
8	7	5	4	1	2	9	3	6
2	5	9	1	4	8	6	7	3
3	8	6	2	9	7	1	5	4
1	4	7	5	6	3	2	8	9

485

8	5	7	2	4	1	3	9	6
9	3	6	8	5	7	1	4	2
2	1	4	9	3	6	7	8	5
7	4	8	1	6	5	2	3	9
5	9	2	3	8	4	6	1	7
3	6	1	7	9	2	4	5	8
6	2	5	4	1	9	8	7	3
4	8	9	6	7	3	5	2	1
1	7	3	5	2	8	9	6	4

486

1	5	2	3	6	7	9	8	4
7	4	8	1	2	9	6	5	3
6	9	3	8	5	4	2	7	1
4	3	1	9	7	5	8	6	2
2	7	5	4	8	6	3	1	9
8	6	9	2	3	1	7	4	5
3	1	7	5	9	8	4	2	6
9	8	4	6	1	2	5	3	7
5	2	6	7	4	3	1	9	8

487

8	4	1	6	9	3	2	7	5
9	6	3	5	2	7	4	8	1
2	5	7	4	1	8	6	3	9
7	1	8	9	4	2	3	5	6
5	2	9	3	8	6	7	1	4
6	3	4	7	5	1	8	9	2
3	9	6	2	7	5	1	4	8
4	8	2	1	3	9	5	6	7
1	7	5	8	6	4	9	2	3

488

4	5	6	8	2	3	7	9	1
3	2	1	7	6	9	8	4	5
8	9	7	4	5	1	6	2	3
9	4	3	5	8	7	2	1	6
1	6	8	9	3	2	5	7	4
2	7	5	1	4	6	9	3	8
7	1	4	6	9	8	3	5	2
5	8	2	3	7	4	1	6	9
6	3	9	2	1	5	4	8	7

489

2	1	4	3	9	5	7	6	8
9	8	7	4	6	1	2	3	5
5	6	3	8	7	2	4	1	9
7	5	1	2	3	6	9	8	4
3	4	8	9	1	7	5	2	6
6	9	2	5	4	8	1	7	3
4	3	6	1	2	9	8	5	7
1	7	5	6	8	4	3	9	2
8	2	9	7	5	3	6	4	1

490

2	6	7	3	9	8	1	4	5
8	1	5	6	2	4	9	7	3
4	3	9	1	5	7	8	2	6
7	2	6	9	3	5	4	8	1
9	5	3	8	4	1	7	6	2
1	4	8	7	6	2	3	5	9
6	7	4	5	1	3	2	9	8
5	8	1	2	7	9	6	3	4
3	9	2	4	8	6	5	1	7

491

9	4	1	8	2	7	6	5	3
2	8	7	6	3	5	4	1	9
5	3	6	9	4	1	7	8	2
4	5	3	1	9	6	2	7	8
7	2	8	3	5	4	9	6	1
1	6	9	7	8	2	3	4	5
8	9	5	4	6	3	1	2	7
3	1	4	2	7	8	5	9	6
6	7	2	5	1	9	8	3	4

492

5	1	3	7	6	4	8	9	2
2	8	9	3	1	5	4	7	6
4	6	7	9	2	8	1	5	3
9	4	8	6	3	1	5	2	7
3	2	6	4	5	7	9	8	1
1	7	5	8	9	2	3	6	4
8	3	2	1	7	9	6	4	5
6	5	4	2	8	3	7	1	9
7	9	1	5	4	6	2	3	8

493

7	2	8	3	4	5	9	1	6
6	5	1	7	9	8	3	2	4
4	9	3	6	2	1	5	8	7
5	1	2	9	8	7	4	6	3
8	3	4	2	5	6	7	9	1
9	6	7	1	3	4	2	5	8
1	4	5	8	7	2	6	3	9
2	8	9	4	6	3	1	7	5
3	7	6	5	1	9	8	4	2

494

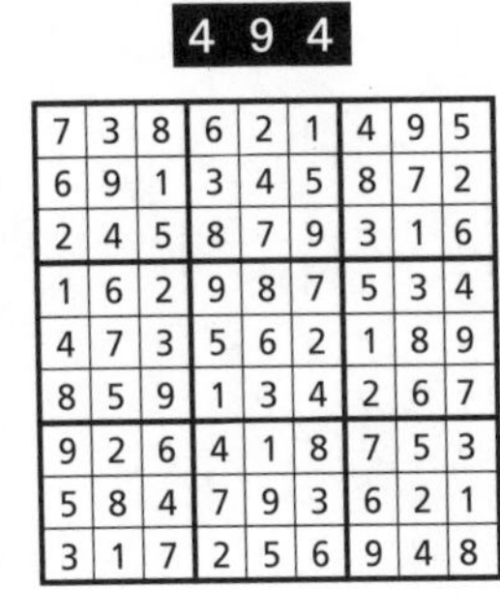

7	3	8	6	2	1	4	9	5
6	9	1	3	4	5	8	7	2
2	4	5	8	7	9	3	1	6
1	6	2	9	8	7	5	3	4
4	7	3	5	6	2	1	8	9
8	5	9	1	3	4	2	6	7
9	2	6	4	1	8	7	5	3
5	8	4	7	9	3	6	2	1
3	1	7	2	5	6	9	4	8

495

9	2	4	5	7	3	8	6	1
3	5	8	4	6	1	7	9	2
7	6	1	2	8	9	5	3	4
1	8	2	7	4	6	3	5	9
6	3	9	1	5	8	2	4	7
5	4	7	3	9	2	1	8	6
4	9	3	8	1	7	6	2	5
2	1	5	6	3	4	9	7	8
8	7	6	9	2	5	4	1	3

496

4	8	3	6	5	2	1	9	7
9	5	7	8	3	1	2	6	4
6	2	1	4	9	7	5	3	8
5	4	6	3	7	9	8	1	2
2	7	9	1	8	4	6	5	3
3	1	8	2	6	5	4	7	9
8	6	5	9	2	3	7	4	1
1	9	2	7	4	6	3	8	5
7	3	4	5	1	8	9	2	6

497

8	7	4	2	5	6	9	1	3
2	9	3	4	1	8	6	5	7
5	1	6	9	3	7	4	2	8
7	2	8	1	4	5	3	6	9
9	3	1	6	7	2	8	4	5
6	4	5	8	9	3	1	7	2
3	5	9	7	6	4	2	8	1
1	6	2	5	8	9	7	3	4
4	8	7	3	2	1	5	9	6

498

6	2	4	9	7	1	8	5	3
3	5	7	6	2	8	1	4	9
1	9	8	3	4	5	6	2	7
5	4	6	8	9	3	2	7	1
2	7	9	5	1	4	3	6	8
8	3	1	7	6	2	5	9	4
9	6	2	1	3	7	4	8	5
7	8	3	4	5	6	9	1	2
4	1	5	2	8	9	7	3	6

499

9	6	8	5	1	4	7	2	3
5	7	2	9	6	3	1	8	4
3	4	1	8	2	7	9	6	5
7	9	3	2	5	6	8	4	1
8	5	4	1	7	9	6	3	2
2	1	6	3	4	8	5	9	7
6	3	7	4	9	5	2	1	8
4	2	5	6	8	1	3	7	9
1	8	9	7	3	2	4	5	6

500

6	1	7	8	4	5	2	3	9
2	9	4	6	3	1	8	7	5
3	8	5	2	9	7	4	1	6
8	3	1	9	6	4	5	2	7
5	7	9	1	2	8	3	6	4
4	2	6	5	7	3	1	9	8
1	5	2	7	8	6	9	4	3
7	4	8	3	1	9	6	5	2
9	6	3	4	5	2	7	8	1

501

3	8	2	4	9	1	5	7	6
5	9	6	7	3	8	1	4	2
1	4	7	5	6	2	9	3	8
6	3	8	2	5	7	4	9	1
4	7	1	6	8	9	2	5	3
9	2	5	1	4	3	6	8	7
8	5	3	9	1	6	7	2	4
2	6	9	8	7	4	3	1	5
7	1	4	3	2	5	8	6	9

502

5	7	4	2	6	9	8	1	3
1	9	6	5	8	3	2	4	7
2	8	3	4	1	7	6	5	9
4	6	2	1	3	5	7	9	8
9	3	5	6	7	8	1	2	4
8	1	7	9	4	2	3	6	5
7	2	9	8	5	1	4	3	6
3	4	1	7	9	6	5	8	2
6	5	8	3	2	4	9	7	1

503

3	2	5	4	6	9	7	8	1
8	9	7	5	1	3	6	4	2
1	4	6	7	2	8	5	3	9
4	3	1	6	8	7	2	9	5
2	7	8	3	9	5	1	6	4
6	5	9	1	4	2	3	7	8
5	1	4	8	7	6	9	2	3
9	6	3	2	5	4	8	1	7
7	8	2	9	3	1	4	5	6

504

3	8	5	7	2	9	4	6	1
7	2	9	1	6	4	8	3	5
4	6	1	8	3	5	7	2	9
9	4	6	2	5	3	1	7	8
8	1	2	6	4	7	5	9	3
5	3	7	9	1	8	2	4	6
2	7	3	5	9	1	6	8	4
6	5	4	3	8	2	9	1	7
1	9	8	4	7	6	3	5	2

505

6	2	1	7	9	3	4	8	5
5	4	8	2	1	6	3	9	7
7	9	3	5	8	4	6	1	2
4	3	9	1	6	2	5	7	8
8	1	5	3	7	9	2	4	6
2	6	7	4	5	8	9	3	1
3	5	6	8	4	7	1	2	9
9	8	4	6	2	1	7	5	3
1	7	2	9	3	5	8	6	4

506

4	6	9	8	1	5	3	2	7
3	7	2	6	9	4	1	8	5
1	8	5	3	7	2	9	4	6
5	3	7	9	8	6	4	1	2
8	4	6	1	2	3	7	5	9
2	9	1	5	4	7	6	3	8
7	1	3	2	5	9	8	6	4
6	2	4	7	3	8	5	9	1
9	5	8	4	6	1	2	7	3

507

8	6	9	1	4	5	3	7	2
4	1	2	7	8	3	6	9	5
7	3	5	9	2	6	8	1	4
2	5	4	8	3	9	7	6	1
6	8	3	4	7	1	5	2	9
9	7	1	5	6	2	4	3	8
3	2	8	6	9	4	1	5	7
5	4	6	2	1	7	9	8	3
1	9	7	3	5	8	2	4	6

508

3	8	5	4	2	9	7	1	6
4	1	9	6	7	5	8	3	2
6	7	2	8	3	1	4	9	5
9	6	7	1	5	3	2	4	8
2	3	1	7	8	4	6	5	9
5	4	8	9	6	2	1	7	3
1	2	4	5	9	8	3	6	7
8	9	6	3	4	7	5	2	1
7	5	3	2	1	6	9	8	4

509

9	8	2	5	6	1	7	3	4
7	4	5	2	8	3	6	1	9
3	6	1	4	9	7	5	8	2
6	3	9	1	5	8	2	4	7
4	1	8	9	7	2	3	5	6
2	5	7	3	4	6	8	9	1
8	9	6	7	1	5	4	2	3
5	2	4	6	3	9	1	7	8
1	7	3	8	2	4	9	6	5

510

4	6	7	1	2	3	9	8	5
8	1	2	7	5	9	4	3	6
9	5	3	4	8	6	1	2	7
2	9	4	6	7	1	3	5	8
6	8	1	2	3	5	7	9	4
3	7	5	8	9	4	2	6	1
5	4	8	9	1	2	6	7	3
1	3	9	5	6	7	8	4	2
7	2	6	3	4	8	5	1	9

511

2	3	8	9	6	7	4	1	5
7	9	5	4	3	1	6	8	2
4	6	1	5	8	2	7	3	9
3	1	9	7	4	6	2	5	8
8	7	2	3	9	5	1	6	4
5	4	6	1	2	8	9	7	3
9	8	3	6	1	4	5	2	7
6	2	7	8	5	9	3	4	1
1	5	4	2	7	3	8	9	6

512

2	4	1	6	7	9	5	8	3
8	7	5	4	3	1	6	2	9
9	3	6	8	2	5	4	1	7
6	8	7	2	9	4	1	3	5
5	9	4	1	8	3	2	7	6
1	2	3	7	5	6	9	4	8
4	1	9	3	6	8	7	5	2
7	5	8	9	4	2	3	6	1
3	6	2	5	1	7	8	9	4

513

4	7	6	3	8	1	5	2	9
9	8	1	7	2	5	6	4	3
3	5	2	6	4	9	8	1	7
2	4	9	5	7	6	1	3	8
8	6	5	2	1	3	7	9	4
1	3	7	4	9	8	2	6	5
6	2	4	9	5	7	3	8	1
5	9	8	1	3	2	4	7	6
7	1	3	8	6	4	9	5	2

514

1	3	6	8	7	5	2	4	9
4	7	9	1	2	6	8	5	3
8	2	5	3	4	9	7	1	6
5	8	2	7	1	3	6	9	4
3	9	1	6	8	4	5	2	7
7	6	4	5	9	2	1	3	8
9	1	7	2	3	8	4	6	5
6	4	8	9	5	1	3	7	2
2	5	3	4	6	7	9	8	1

515

3	5	8	9	7	2	1	4	6
7	2	6	3	1	4	5	9	8
4	1	9	5	8	6	2	7	3
2	4	7	8	3	1	9	6	5
8	3	1	6	9	5	7	2	4
6	9	5	2	4	7	3	8	1
9	6	4	1	2	3	8	5	7
5	8	3	7	6	9	4	1	2
1	7	2	4	5	8	6	3	9

516

9	5	4	1	8	3	6	7	2
2	1	7	6	5	9	3	4	8
3	6	8	7	2	4	5	1	9
4	9	6	3	1	5	8	2	7
1	2	5	4	7	8	9	6	3
8	7	3	9	6	2	1	5	4
6	4	9	2	3	1	7	8	5
7	8	2	5	9	6	4	3	1
5	3	1	8	4	7	2	9	6

517

7	8	3	2	4	9	5	1	6
2	9	5	3	6	1	8	4	7
1	6	4	8	5	7	9	3	2
3	4	2	1	9	5	6	7	8
6	1	8	7	3	2	4	5	9
9	5	7	6	8	4	3	2	1
4	7	9	5	2	6	1	8	3
8	2	6	4	1	3	7	9	5
5	3	1	9	7	8	2	6	4

518

7	4	2	9	3	5	6	1	8
5	6	1	8	2	7	9	4	3
8	3	9	6	1	4	7	2	5
6	1	4	2	8	3	5	7	9
2	9	5	4	7	6	3	8	1
3	7	8	5	9	1	4	6	2
1	2	3	7	4	9	8	5	6
9	5	7	1	6	8	2	3	4
4	8	6	3	5	2	1	9	7

519

6	1	4	8	9	2	5	3	7
3	9	8	6	5	7	2	4	1
5	7	2	4	3	1	6	9	8
1	3	9	5	7	4	8	2	6
4	2	6	9	1	8	3	7	5
7	8	5	2	6	3	4	1	9
8	5	1	3	4	9	7	6	2
2	4	7	1	8	6	9	5	3
9	6	3	7	2	5	1	8	4

520

2	1	8	6	7	9	3	4	5
7	4	3	2	8	5	6	9	1
6	9	5	4	3	1	7	8	2
1	3	9	7	5	4	2	6	8
5	8	7	1	2	6	4	3	9
4	2	6	8	9	3	5	1	7
3	6	2	5	1	8	9	7	4
8	7	4	9	6	2	1	5	3
9	5	1	3	4	7	8	2	6

521

5	6	8	3	7	9	1	4	2
1	2	4	5	8	6	9	7	3
3	7	9	2	1	4	6	8	5
8	4	2	9	3	7	5	1	6
9	3	5	4	6	1	8	2	7
7	1	6	8	5	2	3	9	4
2	5	3	7	9	8	4	6	1
4	9	1	6	2	3	7	5	8
6	8	7	1	4	5	2	3	9

522

4	9	7	8	1	6	3	5	2
3	8	1	2	7	5	6	4	9
6	2	5	3	9	4	1	8	7
5	3	9	4	2	8	7	6	1
2	1	6	9	5	7	8	3	4
8	7	4	1	6	3	2	9	5
7	6	2	5	3	9	4	1	8
1	5	8	6	4	2	9	7	3
9	4	3	7	8	1	5	2	6

523

2	4	5	6	8	9	3	1	7
6	1	3	7	5	4	8	2	9
7	9	8	1	3	2	4	5	6
9	8	2	3	4	7	1	6	5
5	3	6	9	1	8	2	7	4
4	7	1	5	2	6	9	3	8
8	2	7	4	6	1	5	9	3
3	6	4	2	9	5	7	8	1
1	5	9	8	7	3	6	4	2

524

9	7	1	8	6	2	3	4	5
4	3	8	1	5	9	7	2	6
2	6	5	4	3	7	9	1	8
7	5	4	6	8	1	2	3	9
1	2	3	9	4	5	8	6	7
6	8	9	7	2	3	1	5	4
3	4	6	2	7	8	5	9	1
8	1	2	5	9	6	4	7	3
5	9	7	3	1	4	6	8	2

525

8	1	5	7	9	3	6	2	4
2	7	9	5	4	6	1	8	3
3	6	4	2	1	8	5	7	9
5	4	7	3	6	2	9	1	8
6	9	2	8	5	1	3	4	7
1	3	8	9	7	4	2	6	5
4	8	6	1	3	5	7	9	2
7	5	1	4	2	9	8	3	6
9	2	3	6	8	7	4	5	1

526

5	2	8	9	6	4	3	7	1
3	6	7	2	5	1	9	8	4
4	1	9	3	7	8	2	5	6
2	8	1	5	3	9	4	6	7
9	5	3	6	4	7	1	2	8
7	4	6	8	1	2	5	9	3
8	7	5	4	9	3	6	1	2
1	9	4	7	2	6	8	3	5
6	3	2	1	8	5	7	4	9

527

4	7	3	9	6	1	8	5	2
6	9	2	5	4	8	3	7	1
8	5	1	7	2	3	6	4	9
3	6	8	2	1	7	4	9	5
2	1	5	8	9	4	7	6	3
9	4	7	6	3	5	1	2	8
7	3	4	1	5	2	9	8	6
1	2	9	4	8	6	5	3	7
5	8	6	3	7	9	2	1	4

528

9	7	6	5	1	8	4	2	3
2	1	8	4	6	3	9	7	5
4	5	3	2	9	7	8	1	6
8	9	1	7	3	6	2	5	4
3	2	7	1	4	5	6	9	8
6	4	5	8	2	9	1	3	7
1	6	9	3	5	4	7	8	2
7	3	2	6	8	1	5	4	9
5	8	4	9	7	2	3	6	1

529

8	9	6	4	3	2	1	5	7
4	2	1	8	7	5	9	3	6
7	3	5	6	9	1	8	2	4
2	1	4	7	8	3	6	9	5
5	8	9	2	6	4	3	7	1
3	6	7	5	1	9	4	8	2
6	5	2	3	4	8	7	1	9
1	4	8	9	2	7	5	6	3
9	7	3	1	5	6	2	4	8

530

7	5	6	1	2	4	8	3	9
3	2	8	5	6	9	4	7	1
9	1	4	3	8	7	5	2	6
4	7	2	6	5	1	3	9	8
1	9	3	7	4	8	2	6	5
8	6	5	9	3	2	7	1	4
6	8	9	4	7	3	1	5	2
2	3	1	8	9	5	6	4	7
5	4	7	2	1	6	9	8	3

531

6	7	2	1	5	4	8	9	3
3	1	8	2	6	9	4	5	7
4	9	5	3	8	7	6	2	1
7	5	1	6	9	2	3	4	8
9	2	6	8	4	3	7	1	5
8	3	4	5	7	1	2	6	9
5	4	7	9	3	6	1	8	2
1	8	3	4	2	5	9	7	6
2	6	9	7	1	8	5	3	4

532

2	5	3	1	8	4	7	9	6
7	6	4	9	3	2	8	5	1
1	9	8	7	5	6	2	4	3
6	8	7	3	2	5	9	1	4
9	3	1	8	4	7	5	6	2
4	2	5	6	9	1	3	8	7
5	1	6	2	7	9	4	3	8
8	7	9	4	1	3	6	2	5
3	4	2	5	6	8	1	7	9

533

5	4	9	2	1	7	8	3	6
8	2	3	6	9	4	7	5	1
1	7	6	3	5	8	9	4	2
7	1	2	8	4	5	6	9	3
6	3	5	9	2	1	4	7	8
9	8	4	7	3	6	2	1	5
2	9	7	5	6	3	1	8	4
4	5	8	1	7	2	3	6	9
3	6	1	4	8	9	5	2	7

534

3	9	4	7	6	8	5	2	1
6	8	7	5	2	1	3	4	9
1	5	2	4	3	9	8	7	6
2	1	3	6	5	4	7	9	8
8	7	6	3	9	2	1	5	4
5	4	9	1	8	7	2	6	3
9	6	5	8	7	3	4	1	2
7	3	1	2	4	6	9	8	5
4	2	8	9	1	5	6	3	7

535

3	9	2	7	4	1	6	8	5
7	1	5	6	3	8	2	9	4
6	8	4	9	2	5	3	1	7
8	6	1	2	5	7	9	4	3
4	3	9	1	8	6	7	5	2
5	2	7	4	9	3	1	6	8
9	4	6	5	7	2	8	3	1
1	7	8	3	6	4	5	2	9
2	5	3	8	1	9	4	7	6

536

1	9	5	7	4	3	6	8	2
7	4	2	9	8	6	1	3	5
6	8	3	5	1	2	7	9	4
3	5	8	2	6	1	9	4	7
4	7	6	8	5	9	3	2	1
9	2	1	3	7	4	8	5	6
2	1	7	4	9	8	5	6	3
8	6	4	1	3	5	2	7	9
5	3	9	6	2	7	4	1	8

537

8	9	1	4	5	3	2	6	7
2	3	6	1	8	7	4	5	9
4	5	7	6	9	2	8	3	1
1	6	2	9	4	8	5	7	3
9	7	4	5	3	1	6	2	8
3	8	5	7	2	6	1	9	4
7	4	9	8	6	5	3	1	2
6	1	3	2	7	4	9	8	5
5	2	8	3	1	9	7	4	6

538

9	3	8	6	2	4	7	1	5
1	6	2	8	5	7	9	4	3
4	5	7	3	1	9	6	2	8
8	1	6	2	9	5	3	7	4
7	4	9	1	3	6	5	8	2
3	2	5	4	7	8	1	6	9
6	9	4	5	8	1	2	3	7
5	8	3	7	6	2	4	9	1
2	7	1	9	4	3	8	5	6

539

2	5	8	4	3	7	9	1	6
1	7	9	6	2	8	3	5	4
4	3	6	5	9	1	7	8	2
3	2	1	9	7	5	6	4	8
8	9	5	2	6	4	1	3	7
7	6	4	1	8	3	5	2	9
9	1	7	8	5	2	4	6	3
5	8	3	7	4	6	2	9	1
6	4	2	3	1	9	8	7	5

540

3	1	4	2	6	8	9	7	5
2	9	5	1	4	7	6	8	3
8	7	6	3	9	5	1	2	4
9	8	7	5	3	1	2	4	6
4	6	2	7	8	9	3	5	1
5	3	1	6	2	4	7	9	8
6	5	3	8	7	2	4	1	9
1	2	9	4	5	6	8	3	7
7	4	8	9	1	3	5	6	2

541

4	5	2	3	1	7	8	9	6
8	7	6	5	2	9	4	1	3
9	1	3	4	6	8	2	5	7
6	9	4	8	3	1	5	7	2
2	3	7	6	4	5	1	8	9
1	8	5	9	7	2	6	3	4
7	2	9	1	5	4	3	6	8
5	6	8	2	9	3	7	4	1
3	4	1	7	8	6	9	2	5

542

3	7	4	1	5	8	2	6	9
9	6	8	7	3	2	4	5	1
5	1	2	9	4	6	7	8	3
1	4	7	2	6	5	9	3	8
2	3	6	4	8	9	5	1	7
8	9	5	3	1	7	6	2	4
7	8	1	6	2	4	3	9	5
6	5	9	8	7	3	1	4	2
4	2	3	5	9	1	8	7	6

543

7	9	4	1	6	2	8	5	3
2	5	1	4	3	8	6	7	9
8	6	3	9	5	7	2	1	4
3	4	2	8	9	1	5	6	7
1	7	6	2	4	5	3	9	8
9	8	5	3	7	6	1	4	2
5	1	9	7	2	3	4	8	6
4	2	8	6	1	9	7	3	5
6	3	7	5	8	4	9	2	1

544

3	9	4	2	5	1	6	8	7
5	6	8	3	7	4	2	1	9
7	1	2	8	9	6	4	5	3
4	7	3	1	6	2	5	9	8
1	2	5	7	8	9	3	4	6
9	8	6	4	3	5	7	2	1
6	5	1	9	2	3	8	7	4
2	4	7	6	1	8	9	3	5
8	3	9	5	4	7	1	6	2

545

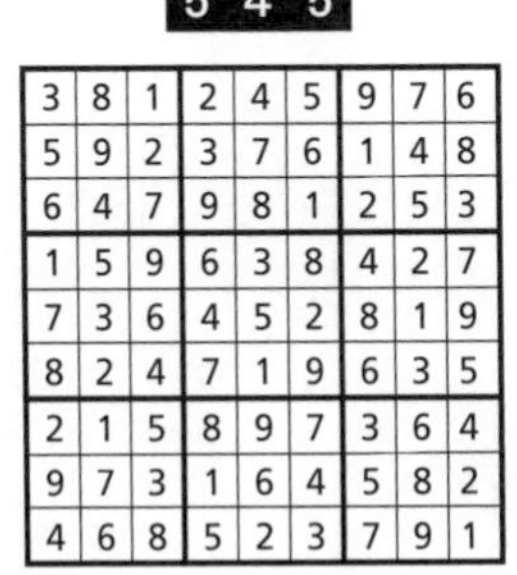

3	8	1	2	4	5	9	7	6
5	9	2	3	7	6	1	4	8
6	4	7	9	8	1	2	5	3
1	5	9	6	3	8	4	2	7
7	3	6	4	5	2	8	1	9
8	2	4	7	1	9	6	3	5
2	1	5	8	9	7	3	6	4
9	7	3	1	6	4	5	8	2
4	6	8	5	2	3	7	9	1

546

2	7	3	1	5	9	4	6	8
5	4	8	7	2	6	1	9	3
9	1	6	3	4	8	5	7	2
4	8	9	2	6	5	3	1	7
1	5	7	4	9	3	8	2	6
3	6	2	8	1	7	9	5	4
7	9	1	6	3	4	2	8	5
8	3	5	9	7	2	6	4	1
6	2	4	5	8	1	7	3	9

547

9	8	4	2	3	6	5	1	7
2	6	5	4	7	1	3	8	9
1	3	7	8	5	9	6	2	4
5	4	3	9	6	2	8	7	1
6	2	8	1	4	7	9	5	3
7	1	9	5	8	3	2	4	6
8	9	2	3	1	4	7	6	5
3	7	1	6	2	5	4	9	8
4	5	6	7	9	8	1	3	2

548

6	3	8	4	2	1	5	9	7
2	5	1	7	9	6	8	4	3
4	7	9	8	3	5	6	2	1
9	2	3	6	8	4	1	7	5
5	8	6	9	1	7	4	3	2
7	1	4	3	5	2	9	6	8
1	6	2	5	7	9	3	8	4
8	9	7	1	4	3	2	5	6
3	4	5	2	6	8	7	1	9

549

6	1	8	9	2	4	7	5	3
2	4	9	3	7	5	6	1	8
7	3	5	8	1	6	9	2	4
8	5	3	1	6	9	2	4	7
1	9	2	5	4	7	3	8	6
4	7	6	2	3	8	5	9	1
9	8	1	6	5	3	4	7	2
5	6	4	7	8	2	1	3	9
3	2	7	4	9	1	8	6	5

550

1	6	3	4	7	8	9	2	5
7	8	9	5	2	1	4	3	6
2	5	4	9	6	3	1	8	7
3	1	6	8	5	9	7	4	2
4	7	5	6	1	2	3	9	8
9	2	8	3	4	7	6	5	1
8	3	2	7	9	6	5	1	4
5	9	7	1	8	4	2	6	3
6	4	1	2	3	5	8	7	9

551

1	8	2	7	9	5	6	4	3
7	3	6	2	4	8	9	1	5
9	4	5	3	1	6	7	2	8
6	1	7	4	2	3	8	5	9
4	5	9	1	8	7	3	6	2
8	2	3	5	6	9	4	7	1
2	9	8	6	7	1	5	3	4
5	7	4	9	3	2	1	8	6
3	6	1	8	5	4	2	9	7

552

8	7	6	9	1	4	5	2	3
4	3	5	7	2	8	6	9	1
1	2	9	5	6	3	4	7	8
2	5	1	4	7	6	3	8	9
3	9	4	2	8	1	7	6	5
6	8	7	3	9	5	1	4	2
5	1	8	6	4	9	2	3	7
9	6	2	1	3	7	8	5	4
7	4	3	8	5	2	9	1	6

553

5	4	7	1	6	2	8	3	9
3	9	8	7	5	4	1	6	2
6	2	1	3	9	8	4	7	5
2	1	5	9	8	6	3	4	7
9	8	4	2	3	7	6	5	1
7	6	3	5	4	1	9	2	8
1	7	9	4	2	3	5	8	6
8	3	2	6	1	5	7	9	4
4	5	6	8	7	9	2	1	3

554

1	6	4	8	2	7	9	3	5
8	7	9	3	6	5	4	2	1
3	5	2	1	9	4	6	8	7
2	9	5	7	4	8	1	6	3
7	8	3	6	1	9	5	4	2
6	4	1	2	5	3	7	9	8
5	1	8	4	3	6	2	7	9
9	3	6	5	7	2	8	1	4
4	2	7	9	8	1	3	5	6

555

8	2	9	5	3	4	1	7	6
1	4	6	7	2	8	9	3	5
5	3	7	6	9	1	4	8	2
4	9	2	1	5	3	7	6	8
7	6	1	8	4	2	3	5	9
3	5	8	9	6	7	2	1	4
9	7	4	3	8	5	6	2	1
2	8	3	4	1	6	5	9	7
6	1	5	2	7	9	8	4	3

556

8	5	6	1	9	4	2	3	7
3	2	9	7	5	8	4	6	1
7	4	1	3	2	6	9	5	8
4	1	3	2	7	9	6	8	5
5	8	7	4	6	1	3	2	9
9	6	2	8	3	5	7	1	4
6	3	4	5	8	7	1	9	2
1	9	8	6	4	2	5	7	3
2	7	5	9	1	3	8	4	6

557

5	3	4	8	9	1	2	7	6
2	7	6	5	4	3	1	8	9
8	9	1	7	2	6	5	4	3
9	5	7	3	1	4	6	2	8
3	1	8	6	5	2	7	9	4
4	6	2	9	7	8	3	1	5
6	2	5	1	8	9	4	3	7
7	4	9	2	3	5	8	6	1
1	8	3	4	6	7	9	5	2

558

9	4	8	2	1	6	5	3	7
7	5	6	3	9	8	1	2	4
3	1	2	7	4	5	8	6	9
1	2	4	8	6	7	9	5	3
5	7	9	1	2	3	4	8	6
8	6	3	4	5	9	7	1	2
4	9	1	5	3	2	6	7	8
6	3	7	9	8	1	2	4	5
2	8	5	6	7	4	3	9	1

559

1	7	5	2	9	3	6	4	8
8	4	9	7	5	6	3	1	2
2	3	6	4	1	8	7	9	5
6	9	3	1	8	4	5	2	7
7	8	4	5	3	2	1	6	9
5	2	1	6	7	9	4	8	3
4	1	7	8	2	5	9	3	6
3	5	8	9	6	1	2	7	4
9	6	2	3	4	7	8	5	1

560

7	9	1	2	3	4	6	5	8
8	4	3	6	1	5	9	7	2
2	6	5	8	7	9	4	1	3
6	1	4	9	8	2	7	3	5
3	8	2	4	5	7	1	9	6
9	5	7	1	6	3	8	2	4
5	7	8	3	4	1	2	6	9
4	3	9	7	2	6	5	8	1
1	2	6	5	9	8	3	4	7

561

5	7	3	6	4	8	1	2	9
8	6	9	3	2	1	4	5	7
4	1	2	5	9	7	3	6	8
3	2	4	9	6	5	7	8	1
7	8	5	2	1	3	9	4	6
1	9	6	7	8	4	2	3	5
2	3	8	1	7	6	5	9	4
6	5	1	4	3	9	8	7	2
9	4	7	8	5	2	6	1	3

562

9	8	5	1	2	7	4	6	3
3	4	6	9	5	8	2	1	7
7	1	2	3	4	6	5	9	8
2	9	8	6	1	4	7	3	5
6	5	4	8	7	3	9	2	1
1	7	3	5	9	2	6	8	4
8	2	7	4	6	1	3	5	9
5	6	1	7	3	9	8	4	2
4	3	9	2	8	5	1	7	6

563

6	3	5	4	8	1	7	2	9
9	4	1	2	7	5	3	6	8
2	7	8	3	9	6	5	1	4
4	1	6	5	2	7	8	9	3
3	2	7	9	6	8	1	4	5
5	8	9	1	4	3	6	7	2
7	5	2	8	1	9	4	3	6
1	9	3	6	5	4	2	8	7
8	6	4	7	3	2	9	5	1

564

9	7	1	5	6	8	3	2	4
4	6	3	2	9	1	7	8	5
2	5	8	3	7	4	6	9	1
3	8	9	1	4	6	5	7	2
6	2	5	8	3	7	4	1	9
7	1	4	9	2	5	8	6	3
5	9	7	6	1	3	2	4	8
8	4	2	7	5	9	1	3	6
1	3	6	4	8	2	9	5	7

565

9	6	8	2	5	4	7	1	3
1	2	7	6	3	8	9	4	5
3	5	4	7	9	1	2	6	8
8	3	9	4	1	6	5	2	7
4	7	2	5	8	9	1	3	6
6	1	5	3	2	7	4	8	9
7	4	1	9	6	3	8	5	2
5	9	3	8	4	2	6	7	1
2	8	6	1	7	5	3	9	4

566

2	3	7	6	5	4	1	8	9
4	1	8	3	2	9	7	5	6
6	9	5	8	7	1	4	3	2
1	4	2	7	3	6	5	9	8
3	8	9	5	4	2	6	1	7
5	7	6	1	9	8	2	4	3
9	6	3	2	1	5	8	7	4
8	5	4	9	6	7	3	2	1
7	2	1	4	8	3	9	6	5

567

2	5	6	7	8	4	3	9	1
3	9	4	2	6	1	5	8	7
8	1	7	9	3	5	6	4	2
4	8	9	1	2	6	7	3	5
1	3	2	8	5	7	4	6	9
6	7	5	3	4	9	1	2	8
5	2	1	6	9	3	8	7	4
7	6	8	4	1	2	9	5	3
9	4	3	5	7	8	2	1	6

568

1	4	7	3	5	6	9	8	2
5	6	9	7	2	8	3	1	4
3	8	2	1	9	4	7	6	5
4	5	6	2	7	9	8	3	1
2	9	3	6	8	1	5	4	7
8	7	1	4	3	5	2	9	6
6	3	8	5	4	7	1	2	9
9	1	5	8	6	2	4	7	3
7	2	4	9	1	3	6	5	8

569

7	1	5	4	8	3	6	9	2
3	9	8	5	6	2	4	1	7
6	2	4	1	7	9	5	3	8
2	5	9	3	4	7	1	8	6
4	8	6	2	5	1	9	7	3
1	3	7	8	9	6	2	4	5
8	7	1	6	2	4	3	5	9
5	4	2	9	3	8	7	6	1
9	6	3	7	1	5	8	2	4

570

3	7	1	5	2	4	9	6	8
2	9	4	1	6	8	5	7	3
6	8	5	3	9	7	4	2	1
7	4	2	9	8	3	6	1	5
9	6	8	4	1	5	7	3	2
1	5	3	2	7	6	8	9	4
5	3	7	6	4	2	1	8	9
4	1	6	8	3	9	2	5	7
8	2	9	7	5	1	3	4	6

571

7	1	6	2	9	3	4	8	5
5	4	2	6	1	8	3	9	7
8	9	3	4	5	7	1	6	2
9	7	5	3	2	4	8	1	6
1	3	4	5	8	6	2	7	9
6	2	8	1	7	9	5	3	4
2	5	7	8	6	1	9	4	3
4	6	1	9	3	5	7	2	8
3	8	9	7	4	2	6	5	1

572

3	6	5	7	1	9	8	2	4
8	9	1	5	4	2	3	6	7
2	4	7	3	6	8	5	1	9
6	3	4	8	9	7	1	5	2
7	1	2	4	5	3	6	9	8
5	8	9	1	2	6	4	7	3
4	2	3	6	7	5	9	8	1
1	7	6	9	8	4	2	3	5
9	5	8	2	3	1	7	4	6

573

4	6	5	8	7	9	3	1	2
8	9	1	4	3	2	7	5	6
7	3	2	6	5	1	9	8	4
3	4	9	1	2	6	8	7	5
5	2	6	7	9	8	4	3	1
1	8	7	5	4	3	2	6	9
9	7	4	3	6	5	1	2	8
2	5	8	9	1	7	6	4	3
6	1	3	2	8	4	5	9	7

574

5	2	3	6	7	4	1	9	8
4	7	8	3	9	1	5	6	2
9	1	6	2	5	8	4	3	7
7	9	5	1	4	6	2	8	3
8	3	4	5	2	9	7	1	6
2	6	1	7	8	3	9	5	4
1	4	7	8	6	5	3	2	9
6	5	2	9	3	7	8	4	1
3	8	9	4	1	2	6	7	5

575

6	3	1	7	9	8	5	2	4
9	7	5	6	4	2	3	1	8
8	2	4	5	1	3	9	7	6
2	8	9	1	6	4	7	5	3
3	4	6	2	5	7	1	8	9
1	5	7	8	3	9	4	6	2
5	1	3	4	2	6	8	9	7
7	9	2	3	8	1	6	4	5
4	6	8	9	7	5	2	3	1

576

9	8	1	6	2	7	5	4	3
3	2	5	1	8	4	7	9	6
7	6	4	5	9	3	2	8	1
4	5	7	2	1	6	9	3	8
2	9	3	8	4	5	1	6	7
6	1	8	7	3	9	4	2	5
5	7	9	4	6	8	3	1	2
8	3	2	9	7	1	6	5	4
1	4	6	3	5	2	8	7	9

577

1	3	5	9	8	4	7	6	2
4	6	2	7	3	5	9	1	8
9	7	8	1	6	2	5	3	4
5	1	4	2	7	3	8	9	6
2	9	7	6	4	8	1	5	3
6	8	3	5	1	9	4	2	7
3	5	9	8	2	7	6	4	1
7	2	1	4	9	6	3	8	5
8	4	6	3	5	1	2	7	9

578

9	2	7	3	5	1	8	4	6
6	1	4	9	8	2	3	7	5
3	8	5	7	4	6	1	2	9
1	3	9	5	2	7	4	6	8
8	4	2	1	6	9	7	5	3
7	5	6	8	3	4	9	1	2
5	7	1	6	9	8	2	3	4
2	9	3	4	1	5	6	8	7
4	6	8	2	7	3	5	9	1

579

9	5	8	3	4	7	6	2	1
7	1	6	5	2	9	3	4	8
2	3	4	6	1	8	7	9	5
3	8	1	2	7	6	9	5	4
5	2	9	1	3	4	8	7	6
6	4	7	8	9	5	2	1	3
4	9	3	7	8	1	5	6	2
1	6	2	9	5	3	4	8	7
8	7	5	4	6	2	1	3	9

580

2	6	5	7	1	4	3	8	9
8	1	3	5	9	6	7	4	2
4	9	7	2	3	8	5	6	1
1	4	8	3	2	5	6	9	7
9	5	2	8	6	7	1	3	4
7	3	6	1	4	9	8	2	5
5	8	9	4	7	3	2	1	6
3	2	4	6	5	1	9	7	8
6	7	1	9	8	2	4	5	3

581

8	1	7	9	6	3	2	4	5
5	9	3	4	1	2	8	6	7
4	2	6	8	5	7	1	9	3
6	5	8	7	3	9	4	2	1
1	3	2	5	8	4	6	7	9
9	7	4	6	2	1	5	3	8
2	6	1	3	9	5	7	8	4
3	4	5	2	7	8	9	1	6
7	8	9	1	4	6	3	5	2

582

4	7	3	8	6	9	2	1	5
1	9	2	3	7	5	8	6	4
6	8	5	1	2	4	3	7	9
3	6	9	4	8	1	5	2	7
7	5	8	2	3	6	9	4	1
2	1	4	5	9	7	6	3	8
9	2	7	6	4	8	1	5	3
5	4	6	9	1	3	7	8	2
8	3	1	7	5	2	4	9	6

583

5	3	1	2	4	8	6	9	7
6	7	9	3	5	1	4	8	2
2	4	8	9	7	6	3	5	1
8	6	4	5	9	7	2	1	3
9	1	3	4	8	2	5	7	6
7	2	5	1	6	3	8	4	9
4	5	6	7	2	9	1	3	8
3	8	7	6	1	5	9	2	4
1	9	2	8	3	4	7	6	5

584

7	9	1	3	2	8	6	5	4
2	6	4	7	9	5	8	3	1
8	5	3	4	6	1	7	2	9
4	3	5	6	1	7	9	8	2
1	7	2	9	8	4	5	6	3
6	8	9	2	5	3	1	4	7
9	4	7	5	3	6	2	1	8
3	1	6	8	7	2	4	9	5
5	2	8	1	4	9	3	7	6

585

8	6	7	3	5	2	4	9	1
9	3	2	7	1	4	8	6	5
5	1	4	9	6	8	2	3	7
2	9	1	8	3	7	5	4	6
7	4	3	6	9	5	1	2	8
6	8	5	2	4	1	3	7	9
4	5	6	1	2	9	7	8	3
3	2	8	5	7	6	9	1	4
1	7	9	4	8	3	6	5	2

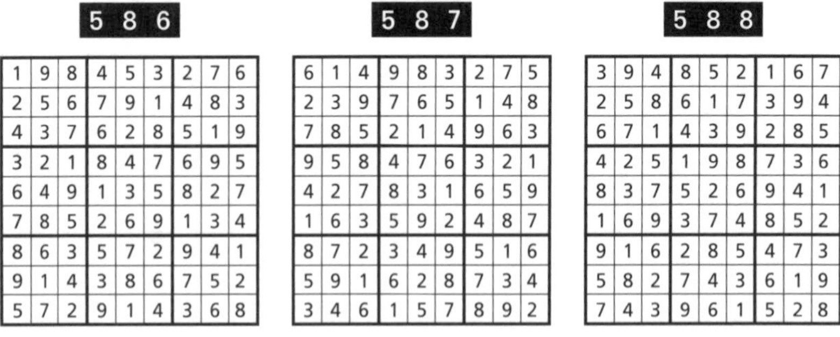

586

1	9	8	4	5	3	2	7	6
2	5	6	7	9	1	4	8	3
4	3	7	6	2	8	5	1	9
3	2	1	8	4	7	6	9	5
6	4	9	1	3	5	8	2	7
7	8	5	2	6	9	1	3	4
8	6	3	5	7	2	9	4	1
9	1	4	3	8	6	7	5	2
5	7	2	9	1	4	3	6	8

587

6	1	4	9	8	3	2	7	5
2	3	9	7	6	5	1	4	8
7	8	5	2	1	4	9	6	3
9	5	8	4	7	6	3	2	1
4	2	7	8	3	1	6	5	9
1	6	3	5	9	2	4	8	7
8	7	2	3	4	9	5	1	6
5	9	1	6	2	8	7	3	4
3	4	6	1	5	7	8	9	2

588

3	9	4	8	5	2	1	6	7
2	5	8	6	1	7	3	9	4
6	7	1	4	3	9	2	8	5
4	2	5	1	9	8	7	3	6
8	3	7	5	2	6	9	4	1
1	6	9	3	7	4	8	5	2
9	1	6	2	8	5	4	7	3
5	8	2	7	4	3	6	1	9
7	4	3	9	6	1	5	2	8

589

1	5	8	9	6	7	3	2	4
7	9	3	2	8	4	6	5	1
4	2	6	3	1	5	9	7	8
9	3	4	6	7	8	5	1	2
8	1	2	5	9	3	4	6	7
5	6	7	1	4	2	8	3	9
6	4	1	7	3	9	2	8	5
3	8	5	4	2	1	7	9	6
2	7	9	8	5	6	1	4	3

590

8	3	9	6	1	7	4	5	2
1	4	2	5	8	9	6	7	3
5	7	6	4	3	2	1	9	8
9	2	1	8	7	4	5	3	6
6	5	3	2	9	1	7	8	4
7	8	4	3	6	5	2	1	9
3	6	5	1	2	8	9	4	7
4	9	8	7	5	6	3	2	1
2	1	7	9	4	3	8	6	5

591

8	3	2	5	7	1	9	4	6
4	7	6	8	2	9	3	5	1
1	9	5	4	3	6	8	7	2
6	2	4	1	9	8	5	3	7
9	1	8	7	5	3	6	2	4
7	5	3	2	6	4	1	9	8
2	6	9	3	1	7	4	8	5
5	8	1	9	4	2	7	6	3
3	4	7	6	8	5	2	1	9

592

2	9	1	6	8	3	5	7	4
5	6	7	1	4	9	8	3	2
3	4	8	2	7	5	1	6	9
9	7	2	3	6	8	4	1	5
6	8	3	5	1	4	9	2	7
1	5	4	7	9	2	3	8	6
4	2	6	9	3	1	7	5	8
8	1	5	4	2	7	6	9	3
7	3	9	8	5	6	2	4	1

593

1	2	6	8	9	3	5	7	4
3	8	7	2	5	4	9	6	1
5	9	4	1	7	6	3	8	2
8	6	9	4	1	2	7	3	5
7	5	2	6	3	9	4	1	8
4	3	1	5	8	7	6	2	9
2	1	3	7	4	5	8	9	6
6	7	5	9	2	8	1	4	3
9	4	8	3	6	1	2	5	7

594

8	1	3	2	5	6	9	7	4
5	2	6	4	7	9	3	8	1
9	4	7	3	8	1	6	5	2
1	9	4	7	2	5	8	6	3
3	6	5	9	4	8	1	2	7
7	8	2	6	1	3	5	4	9
2	3	9	8	6	7	4	1	5
4	5	8	1	3	2	7	9	6
6	7	1	5	9	4	2	3	8

595

7	5	1	8	6	2	9	4	3
6	2	4	3	7	9	5	1	8
3	9	8	4	5	1	2	6	7
8	6	7	1	9	3	4	5	2
5	3	9	7	2	4	1	8	6
4	1	2	6	8	5	7	3	9
2	7	3	5	4	8	6	9	1
1	4	6	9	3	7	8	2	5
9	8	5	2	1	6	3	7	4

596

8	3	4	5	9	2	7	1	6
9	5	6	1	7	4	3	2	8
2	7	1	8	3	6	9	4	5
1	2	9	6	5	8	4	3	7
6	4	7	3	2	1	5	8	9
3	8	5	7	4	9	2	6	1
4	1	2	9	8	5	6	7	3
7	9	8	2	6	3	1	5	4
5	6	3	4	1	7	8	9	2

597

4	7	2	5	9	3	6	8	1
3	6	1	4	7	8	2	5	9
5	8	9	2	1	6	3	7	4
8	2	4	1	3	9	5	6	7
7	3	5	8	6	4	1	9	2
1	9	6	7	2	5	4	3	8
2	5	3	9	8	1	7	4	6
9	4	7	6	5	2	8	1	3
6	1	8	3	4	7	9	2	5

598

7	8	5	3	2	1	9	6	4
1	9	2	4	6	7	3	8	5
6	3	4	9	5	8	2	1	7
2	6	7	1	8	5	4	3	9
3	5	9	7	4	6	8	2	1
4	1	8	2	3	9	5	7	6
5	4	6	8	1	2	7	9	3
8	7	1	5	9	3	6	4	2
9	2	3	6	7	4	1	5	8

599

9	1	4	6	7	8	2	3	5
3	8	7	2	5	4	6	9	1
5	6	2	3	9	1	4	8	7
8	7	9	5	6	2	1	4	3
2	4	3	7	1	9	5	6	8
6	5	1	4	8	3	9	7	2
7	3	5	1	4	6	8	2	9
4	2	8	9	3	5	7	1	6
1	9	6	8	2	7	3	5	4

600

9	3	5	7	6	8	4	2	1
4	8	7	1	2	9	6	3	5
6	1	2	4	3	5	8	7	9
2	7	1	3	4	6	9	5	8
5	9	4	2	8	1	3	6	7
3	6	8	9	5	7	1	4	2
8	4	3	5	1	2	7	9	6
7	2	6	8	9	4	5	1	3
1	5	9	6	7	3	2	8	4

601

3	4	7	2	1	9	8	6	5
5	2	8	6	4	7	3	1	9
9	6	1	3	5	8	2	4	7
6	9	2	1	3	4	7	5	8
8	1	5	7	6	2	9	3	4
7	3	4	8	9	5	6	2	1
2	5	3	9	7	1	4	8	6
4	8	9	5	2	6	1	7	3
1	7	6	4	8	3	5	9	2

602

8	1	2	9	6	7	3	5	4
7	3	5	4	2	8	6	1	9
9	6	4	1	3	5	7	8	2
5	4	3	8	7	6	2	9	1
2	7	6	5	9	1	8	4	3
1	9	8	3	4	2	5	7	6
4	5	9	6	8	3	1	2	7
3	8	7	2	1	9	4	6	5
6	2	1	7	5	4	9	3	8

603

3	2	8	6	1	9	7	5	4
6	1	7	3	5	4	8	9	2
5	4	9	8	2	7	1	3	6
1	9	3	5	4	2	6	7	8
8	5	6	1	7	3	4	2	9
2	7	4	9	6	8	3	1	5
7	6	1	4	9	5	2	8	3
4	8	5	2	3	1	9	6	7
9	3	2	7	8	6	5	4	1

604

7	8	9	6	4	5	3	1	2
5	2	4	7	3	1	9	6	8
1	6	3	8	9	2	4	7	5
3	7	8	1	2	4	5	9	6
4	5	2	9	8	6	1	3	7
6	9	1	5	7	3	8	2	4
8	1	6	3	5	7	2	4	9
9	4	7	2	1	8	6	5	3
2	3	5	4	6	9	7	8	1

605

9	3	2	1	8	4	7	6	5
8	5	7	9	3	6	4	2	1
4	1	6	5	7	2	9	3	8
7	2	5	4	9	3	1	8	6
3	9	8	7	6	1	2	5	4
1	6	4	8	2	5	3	9	7
6	4	3	2	5	7	8	1	9
2	8	1	6	4	9	5	7	3
5	7	9	3	1	8	6	4	2

606

4	3	1	7	2	9	6	8	5
9	7	6	4	5	8	2	1	3
8	5	2	3	6	1	9	7	4
3	6	8	2	1	4	5	9	7
2	4	5	9	3	7	8	6	1
1	9	7	6	8	5	4	3	2
7	8	9	1	4	2	3	5	6
5	2	3	8	7	6	1	4	9
6	1	4	5	9	3	7	2	8

607

5	9	6	7	4	2	3	8	1
4	8	2	1	9	3	7	6	5
3	1	7	8	6	5	2	9	4
9	5	8	3	2	7	1	4	6
2	6	1	5	8	4	9	7	3
7	4	3	9	1	6	5	2	8
6	3	4	2	5	9	8	1	7
1	2	5	6	7	8	4	3	9
8	7	9	4	3	1	6	5	2

608

1	8	4	2	7	9	6	3	5
6	7	9	1	3	5	4	2	8
2	3	5	8	4	6	7	1	9
7	9	8	4	6	1	2	5	3
4	6	2	9	5	3	1	8	7
3	5	1	7	8	2	9	4	6
5	2	3	6	9	4	8	7	1
9	4	7	3	1	8	5	6	2
8	1	6	5	2	7	3	9	4

609

5	3	2	1	9	6	8	4	7
1	4	8	7	2	5	3	6	9
7	9	6	8	3	4	5	1	2
2	6	7	4	5	3	1	9	8
3	8	9	2	6	1	4	7	5
4	5	1	9	8	7	6	2	3
6	2	5	3	1	9	7	8	4
8	1	4	5	7	2	9	3	6
9	7	3	6	4	8	2	5	1

610

3	5	4	8	2	7	6	1	9
7	6	2	4	1	9	3	8	5
8	1	9	5	6	3	4	2	7
4	3	8	1	5	6	7	9	2
6	2	5	7	9	4	1	3	8
9	7	1	2	3	8	5	4	6
2	8	6	3	4	5	9	7	1
5	4	7	9	8	1	2	6	3
1	9	3	6	7	2	8	5	4

611

6	8	9	3	1	4	5	7	2
3	7	5	8	6	2	1	4	9
1	4	2	7	5	9	8	3	6
5	6	3	2	9	8	7	1	4
2	9	4	5	7	1	3	6	8
8	1	7	4	3	6	9	2	5
9	5	1	6	2	7	4	8	3
4	3	6	1	8	5	2	9	7
7	2	8	9	4	3	6	5	1

612

3	9	7	8	2	5	1	6	4
8	4	1	7	9	6	3	2	5
5	6	2	1	3	4	9	7	8
1	7	9	2	8	3	4	5	6
6	5	3	4	7	9	8	1	2
4	2	8	6	5	1	7	9	3
7	1	4	3	6	2	5	8	9
9	8	6	5	4	7	2	3	1
2	3	5	9	1	8	6	4	7

613

4	9	2	7	3	5	6	8	1
5	6	8	2	9	1	4	7	3
1	3	7	6	8	4	2	9	5
9	5	3	8	7	2	1	4	6
2	7	1	4	5	6	8	3	9
8	4	6	3	1	9	5	2	7
6	1	4	9	2	7	3	5	8
3	2	9	5	6	8	7	1	4
7	8	5	1	4	3	9	6	2

614

5	7	4	3	2	1	6	9	8
2	6	1	4	9	8	3	5	7
3	8	9	5	7	6	4	2	1
8	1	3	2	6	7	5	4	9
7	5	6	8	4	9	2	1	3
4	9	2	1	5	3	7	8	6
1	4	8	6	3	2	9	7	5
9	3	5	7	8	4	1	6	2
6	2	7	9	1	5	8	3	4

615

5	3	9	4	2	7	6	8	1
2	6	4	8	5	1	9	7	3
7	8	1	3	9	6	4	2	5
1	5	6	2	7	8	3	9	4
4	2	7	5	3	9	1	6	8
3	9	8	1	6	4	2	5	7
6	7	5	9	4	3	8	1	2
8	4	2	6	1	5	7	3	9
9	1	3	7	8	2	5	4	6

616

8	3	7	1	5	4	9	2	6
5	4	9	8	2	6	3	7	1
2	6	1	3	7	9	5	4	8
4	1	6	2	8	3	7	9	5
9	7	5	4	6	1	2	8	3
3	8	2	5	9	7	1	6	4
7	5	4	6	1	2	8	3	9
1	9	3	7	4	8	6	5	2
6	2	8	9	3	5	4	1	7

617

3	8	7	9	1	4	5	2	6
4	1	6	2	3	5	7	9	8
9	2	5	8	7	6	1	4	3
2	5	8	6	4	7	9	3	1
6	9	4	3	8	1	2	7	5
7	3	1	5	2	9	6	8	4
5	6	2	4	9	8	3	1	7
1	4	3	7	6	2	8	5	9
8	7	9	1	5	3	4	6	2

618

9	4	2	8	5	3	1	7	6
5	6	1	4	7	9	3	2	8
7	3	8	2	1	6	9	4	5
1	2	3	5	4	7	8	6	9
8	7	4	6	9	1	5	3	2
6	9	5	3	8	2	7	1	4
4	8	7	1	2	5	6	9	3
3	5	9	7	6	4	2	8	1
2	1	6	9	3	8	4	5	7

619

1	8	2	9	4	6	7	3	5
7	6	5	8	1	3	9	4	2
9	3	4	5	2	7	6	8	1
6	5	3	7	9	8	2	1	4
2	1	7	6	3	4	8	5	9
8	4	9	1	5	2	3	7	6
4	7	6	2	8	1	5	9	3
5	2	1	3	7	9	4	6	8
3	9	8	4	6	5	1	2	7

620

6	9	1	4	7	5	3	2	8
2	7	5	9	3	8	6	1	4
3	8	4	1	6	2	7	9	5
5	4	3	8	9	6	2	7	1
7	6	9	5	2	1	8	4	3
8	1	2	3	4	7	5	6	9
4	3	7	6	5	9	1	8	2
9	2	8	7	1	3	4	5	6
1	5	6	2	8	4	9	3	7

621

7	3	6	1	4	9	8	5	2
5	1	8	2	7	3	9	4	6
4	2	9	5	8	6	1	3	7
8	5	3	9	6	7	2	1	4
1	4	7	3	2	5	6	8	9
6	9	2	8	1	4	5	7	3
9	7	4	6	5	8	3	2	1
3	8	1	4	9	2	7	6	5
2	6	5	7	3	1	4	9	8

622

8	2	6	9	1	5	3	7	4
3	4	7	2	8	6	1	9	5
5	9	1	4	3	7	6	2	8
7	8	2	5	6	1	9	4	3
9	6	5	7	4	3	8	1	2
1	3	4	8	9	2	7	5	6
6	1	9	3	2	4	5	8	7
2	7	3	1	5	8	4	6	9
4	5	8	6	7	9	2	3	1

623

4	5	2	1	8	9	3	7	6
9	6	8	7	5	3	4	2	1
3	1	7	4	2	6	8	5	9
6	2	4	3	1	8	5	9	7
8	9	3	5	6	7	1	4	2
5	7	1	2	9	4	6	3	8
7	3	9	6	4	1	2	8	5
1	8	5	9	3	2	7	6	4
2	4	6	8	7	5	9	1	3

624

6	8	7	1	4	9	5	3	2
5	4	9	8	3	2	7	1	6
2	3	1	6	5	7	8	9	4
8	9	6	7	1	3	4	2	5
4	2	3	5	6	8	9	7	1
1	7	5	9	2	4	6	8	3
7	5	2	4	8	1	3	6	9
3	6	8	2	9	5	1	4	7
9	1	4	3	7	6	2	5	8

625

1	4	5	8	9	2	6	7	3
9	7	2	1	3	6	4	5	8
6	3	8	4	7	5	9	2	1
4	1	6	2	8	9	5	3	7
2	9	3	7	5	4	1	8	6
5	8	7	6	1	3	2	4	9
7	6	9	5	2	8	3	1	4
3	2	1	9	4	7	8	6	5
8	5	4	3	6	1	7	9	2

626

4	7	8	6	5	3	9	2	1
6	3	2	1	4	9	8	7	5
9	1	5	2	8	7	6	3	4
1	6	9	8	3	4	7	5	2
2	5	3	7	6	1	4	9	8
7	8	4	5	9	2	1	6	3
3	2	6	9	1	8	5	4	7
8	9	7	4	2	5	3	1	6
5	4	1	3	7	6	2	8	9

627

4	7	5	8	3	1	6	2	9
8	1	6	9	2	5	7	4	3
9	2	3	6	4	7	5	1	8
5	3	1	2	9	6	4	8	7
2	8	4	1	7	3	9	5	6
6	9	7	5	8	4	1	3	2
1	5	8	3	6	9	2	7	4
3	4	9	7	5	2	8	6	1
7	6	2	4	1	8	3	9	5

628

3	9	4	8	2	5	7	1	6
5	7	2	9	1	6	8	4	3
6	8	1	4	3	7	5	9	2
8	1	3	7	4	9	6	2	5
2	6	9	3	5	8	1	7	4
4	5	7	2	6	1	9	3	8
1	4	8	6	9	2	3	5	7
7	3	5	1	8	4	2	6	9
9	2	6	5	7	3	4	8	1

629

1	9	3	6	2	7	5	8	4
7	4	6	9	8	5	3	2	1
8	5	2	4	3	1	7	6	9
9	7	1	5	4	6	8	3	2
5	2	4	8	9	3	6	1	7
6	3	8	1	7	2	4	9	5
2	6	7	3	5	9	1	4	8
4	1	9	7	6	8	2	5	3
3	8	5	2	1	4	9	7	6

630

1	3	6	7	5	9	8	2	4
7	4	9	3	2	8	1	6	5
2	8	5	1	4	6	9	7	3
6	2	3	8	7	1	5	4	9
9	5	4	6	3	2	7	8	1
8	7	1	4	9	5	2	3	6
3	9	7	2	1	4	6	5	8
4	1	8	5	6	7	3	9	2
5	6	2	9	8	3	4	1	7

631

1	7	2	6	3	8	4	5	9
6	3	4	1	9	5	7	8	2
5	9	8	7	2	4	1	6	3
4	5	6	8	1	2	3	9	7
2	8	3	4	7	9	5	1	6
9	1	7	5	6	3	8	2	4
3	4	9	2	5	1	6	7	8
7	2	1	3	8	6	9	4	5
8	6	5	9	4	7	2	3	1

632

4	7	5	9	6	8	2	1	3
9	1	3	5	2	4	6	7	8
6	8	2	3	1	7	5	4	9
3	9	7	1	4	2	8	6	5
8	6	4	7	3	5	1	9	2
2	5	1	6	8	9	7	3	4
7	4	6	8	5	3	9	2	1
5	2	9	4	7	1	3	8	6
1	3	8	2	9	6	4	5	7

633

8	9	6	5	7	3	2	1	4
5	1	7	2	6	4	3	9	8
4	2	3	1	9	8	7	6	5
3	5	8	4	2	6	9	7	1
1	7	9	8	3	5	4	2	6
6	4	2	9	1	7	8	5	3
9	3	4	7	5	1	6	8	2
7	6	1	3	8	2	5	4	9
2	8	5	6	4	9	1	3	7

634

4	8	1	3	2	5	7	6	9
9	6	2	8	1	7	4	5	3
3	5	7	4	6	9	8	2	1
1	4	6	7	3	8	2	9	5
7	2	5	6	9	1	3	4	8
8	9	3	5	4	2	6	1	7
5	3	9	2	8	6	1	7	4
6	7	4	1	5	3	9	8	2
2	1	8	9	7	4	5	3	6

635

5	1	8	9	2	4	7	3	6
7	4	2	3	8	6	1	9	5
9	6	3	5	1	7	8	2	4
4	3	7	6	9	8	2	5	1
6	2	1	7	3	5	9	4	8
8	5	9	2	4	1	3	6	7
1	9	6	8	5	3	4	7	2
2	7	4	1	6	9	5	8	3
3	8	5	4	7	2	6	1	9

636

6	1	3	9	7	2	8	5	4
8	9	5	1	4	3	7	2	6
4	2	7	8	5	6	1	3	9
2	4	1	6	9	8	3	7	5
7	3	9	2	1	5	4	6	8
5	8	6	7	3	4	9	1	2
9	5	4	3	6	1	2	8	7
1	6	2	4	8	7	5	9	3
3	7	8	5	2	9	6	4	1

637

7	1	5	8	2	6	9	3	4
9	2	4	3	5	1	8	7	6
3	8	6	4	7	9	5	1	2
5	7	3	2	8	4	6	9	1
8	9	1	7	6	5	2	4	3
6	4	2	9	1	3	7	5	8
1	3	8	5	9	2	4	6	7
4	5	7	6	3	8	1	2	9
2	6	9	1	4	7	3	8	5

638

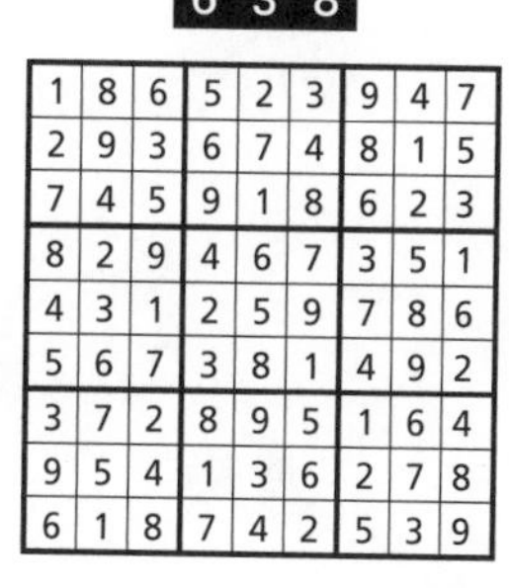

1	8	6	5	2	3	9	4	7
2	9	3	6	7	4	8	1	5
7	4	5	9	1	8	6	2	3
8	2	9	4	6	7	3	5	1
4	3	1	2	5	9	7	8	6
5	6	7	3	8	1	4	9	2
3	7	2	8	9	5	1	6	4
9	5	4	1	3	6	2	7	8
6	1	8	7	4	2	5	3	9

639

6	5	8	1	4	3	2	7	9
3	4	1	2	9	7	6	8	5
9	2	7	5	8	6	4	1	3
1	7	4	6	5	2	9	3	8
2	9	3	7	1	8	5	6	4
5	8	6	9	3	4	1	2	7
4	3	9	8	6	1	7	5	2
7	6	5	3	2	9	8	4	1
8	1	2	4	7	5	3	9	6

640

6	7	2	3	4	8	5	1	9
8	1	3	5	7	9	2	4	6
5	9	4	6	1	2	3	8	7
3	4	1	7	9	5	6	2	8
2	5	7	8	6	4	9	3	1
9	8	6	1	2	3	4	7	5
1	2	5	4	8	6	7	9	3
7	3	9	2	5	1	8	6	4
4	6	8	9	3	7	1	5	2

641

4	5	2	3	9	7	8	1	6
7	9	1	5	8	6	3	2	4
3	8	6	4	1	2	7	5	9
1	2	9	7	5	3	6	4	8
6	7	5	8	4	9	2	3	1
8	4	3	2	6	1	5	9	7
9	6	8	1	3	5	4	7	2
2	3	4	9	7	8	1	6	5
5	1	7	6	2	4	9	8	3

642

1	6	3	8	7	9	2	5	4
9	8	4	2	1	5	6	3	7
7	2	5	6	4	3	1	9	8
2	1	6	5	3	8	7	4	9
3	5	7	4	9	1	8	6	2
4	9	8	7	2	6	5	1	3
8	4	1	9	6	2	3	7	5
5	3	9	1	8	7	4	2	6
6	7	2	3	5	4	9	8	1

643

8	2	6	1	7	5	3	4	9
1	5	9	8	4	3	2	7	6
7	3	4	6	9	2	8	1	5
6	7	2	5	8	1	9	3	4
5	9	8	4	3	6	1	2	7
4	1	3	9	2	7	6	5	8
9	8	5	3	1	4	7	6	2
3	6	7	2	5	8	4	9	1
2	4	1	7	6	9	5	8	3

644

3	2	7	6	1	5	4	9	8
5	1	4	7	8	9	2	3	6
9	6	8	4	3	2	7	1	5
1	7	5	9	2	3	8	6	4
6	3	2	1	4	8	5	7	9
4	8	9	5	6	7	1	2	3
7	4	1	8	9	6	3	5	2
2	5	6	3	7	4	9	8	1
8	9	3	2	5	1	6	4	7

645

7	4	6	2	9	3	5	1	8
2	1	9	6	8	5	3	4	7
3	5	8	4	7	1	9	2	6
6	7	1	9	3	8	2	5	4
5	9	4	7	2	6	8	3	1
8	3	2	5	1	4	7	6	9
1	8	7	3	4	2	6	9	5
4	2	5	8	6	9	1	7	3
9	6	3	1	5	7	4	8	2

646

2	4	5	9	6	3	7	1	8
9	8	7	4	5	1	3	6	2
3	6	1	2	8	7	5	9	4
5	7	6	1	2	8	4	3	9
1	9	3	5	7	4	2	8	6
4	2	8	3	9	6	1	7	5
7	1	9	6	4	5	8	2	3
6	3	4	8	1	2	9	5	7
8	5	2	7	3	9	6	4	1